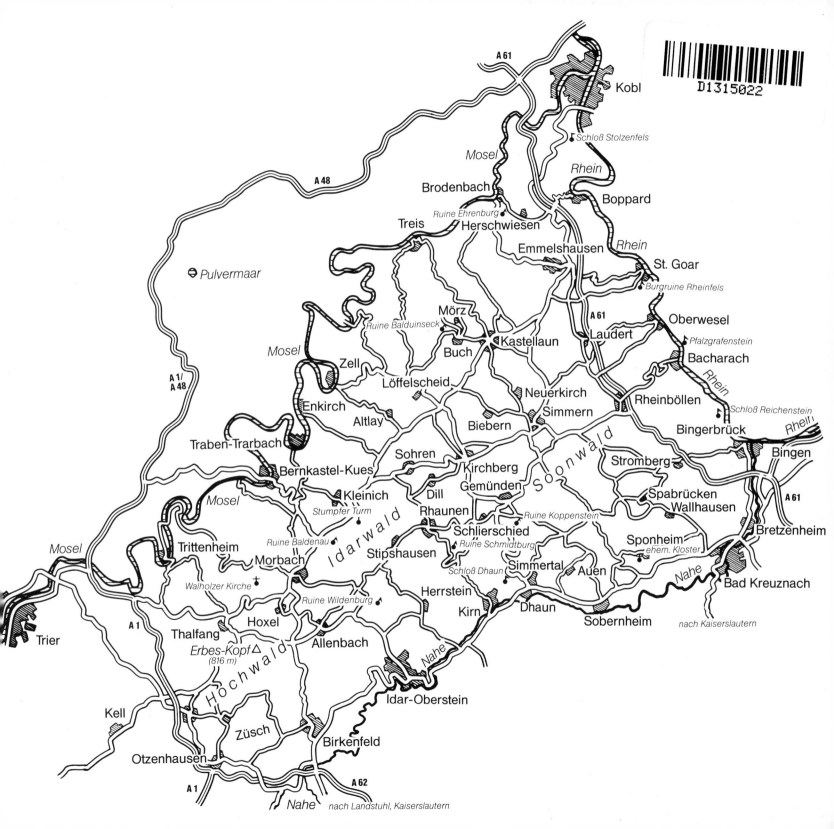

Gustav Schellack, Willi Wagner

Der Hunsrück

zwischen Rhein, Mosel und Nahe

Fotos von Walter W. Vollrath

Konrad Theiss Verlag Stuttgart

Sämtliche Aufnahmen von Walter W. Vollrath mit folgenden Ausnahmen:
Tafel 33: Eduard Peitz, Kirn;
Tafel 82: Museum des Vereins »Die Heimatfreunde Oberstein e. V.«
Die Karte auf dem Vorsatz zeichnete Bernd Matthes

CIP-Kurztitelaufnahme der Deutschen Bibliothek

Schellack, Gustav:
Der Hunsrück zwischen Rhein, Mosel und Nahe /
Gustav Schellack ; Willi Wagner. Fotos von Walter
W. Vollrath. – Stuttgart : Theiss, 1984.
  ISBN 3-8062-0391-1
NE: Wagner, Willi: ; Vollrath, Walter W.:

Schutzumschlag: Michael Kasack

© Konrad Theiss Verlag GmbH, Stuttgart 1984
ISBN 3-8062-0391-1
Alle Rechte vorbehalten
Gesamtherstellung: Grafische Betriebe
Süddeutscher Zeitungsdienst, Aalen
Printed in Germany

Inhalt

Hunsrück, Land zwischen Rhein, Mosel und Nahe

»Die schnelle Nahe hatt' ich durchkreuzt im
                                    Nebelschauer,
Beschaut des alten Bingen neu aufgebaute Mauer,
Waldeinsamkeit umfing mich, verödet sind die Fluren,
Und nirgends nah noch fern von Menschenwerk die
                                    Spuren.
Vorbei ging's an Dumnissus, verdörrt vom Brand der
                                    Sonnen,
Vorbei auch an Tabernae mit seinen kühlen Bronnen.
Und endlich an der Grenze von Belginum grüßt die
                                    Gäste
Neumagen, Constantins, des Kaisers stolze Feste.«

Diese Zeilen schrieb der spätrömische Dichter Decimus Magnus Ausonius, Erzieher des kaiserlichen Prin-
zen Gratian, als er im Jahre 368 n. Chr. mit seinem
Schützling in einem Wagen über die Militärstraße hol-
perte, die von der Kaiserstadt Trier durch die dunklen
Wälder des Hunsrücks an die Nahe und an den Rhein
bei Bingen und weiter nach Mainz führte. Hier ist eine
erste Nachricht über das Waldland zwischen Nahe und
Mosel, und ein Waldland ist der Hunsrück geblieben.
Einst zählte er zum riesigen Vosagus, dem Vogesen-
wald, Jagdgebiet von Königen, Herzögen und Grafen,

Heimat des sagenhaften Wilden Jägers, eines Walram
von Sponheim, Revier des Jägers aus Kurpfalz, Schauplatz der Nibelungensage am Schloß Dhronecken und
am Tranenweiher und nicht zuletzt Zuflucht für den
mehr berüchtigten als berühmten Räuberhauptmann
Schinderhannes und seine Bande. Waldland, wellige
Hochebene mit weiten Ackerfluren, Wiesen und Weiden, wildromantischen, einsamen Bachtälern, kleinen
schmucken Dörfern mit blau glänzenden Schieferdächern, spitzen Kirchtürmen und bunten Fachwerkhäusern – mit diesen Eindrücken empfängt der in deutschen Landen noch weithin unbekannte Hunsrück
seine Besucher.
Recht unterschiedlich waren auch die Meinungen von
Menschen, die diese Landschaft erstmalig erlebten.
Der berühmte Geograph Sebastian Münster will den
Hunsrück und seinen Namen mit den Hunnen in Verbindung bringen, die einst von Osten heranstürmten
und zu den Katalaunischen Feldern zogen. Magister
und Pfarrer Hellbach schrieb 1605: »Denn es hat dieses
Land viel herrlicher, schöner Auen und Gründe, welche mit durchrinnenden Brunnen und Bächen be-
feuchtet werden. Daher gibt es viel herrliche Viehwei-
den für Schafe und ander Vieh, also daß unser Landes
Woll von vielen Brabantischen Kaufleuten für alle anderer Woll das Erb hat.« Gelobt von den einen, ge-

schmäht von anderen, die nach der Napoleonischen Herrschaft Angst hatten, als Beamte in das »Preußische Sibirien« versetzt zu werden. Selbst der bekannte Hunsrückdichter und Schriftsteller Jakob Kneip nannte seine Heimat »ein armes Land mit rauher, wilder Scholle, durchweht von scharfen, schneidenden Westwinden, durchbraust vom Rauschen der großen Wälder, ein armes – reiches Land«. Doch als er in seiner Eigenschaft als Journalist in Mittelmeerländern weilte, da ging sein Sehnen nach dieser Hunsrücklandschaft. »Immer, wenn mich die rauschende Fülle fremder Städte verwirrt, seliges Heimatland, findet mein Herz zu dir. All deine Hügel seh ich gehoben ins Licht, auf deinen Rücken gelagert, über die Wälder türmen die Wolken sich auf.« Möge Stefan George den Reigen der Urteile über eine noch zu entdeckende Landschaft zwischen den Flüssen abschließen: »Die zusammenhängende Ruhe von Wiesen, Wasser und blauer Luft wird manchmal unterbrochen von dem Feiertagsklang der umliegenden Weiler. Wäre es nicht möglich, in dieser friedfertigen Landschaft sein Selbst wiederzufinden.« Man sollte diesem Lob, um der heutigen Lage gerecht zu werden, anfügen, daß diese Stille oft vom Lärm militärischer Düsenflugzeuge durchbrochen wird, aber auch vom Rattern der Landmaschinen, mit denen die Bauern ihre Felder bestellen, und dem von Jahr zu Jahr stärker flutenden Verkehr auf den Landstraßen.

Geographisch gesehen, und so steht es auch in den meisten Lexika, ist der Hunsrück der südwestliche Teil des Rheinischen Schiefergebirges, der im Norden von der Mosel, im Osten vom Rhein begrenzt wird. Im Süden bildet die Nahe die Grenze und im Westen die Prims und der Unterlauf der Saar. Hunsrück ist ein Sammelname, der sich von einem kleineren Bezirk, dem nördlichen Teil des alten Nahegaus, im Laufe der Zeit über das ganze Gebiet zwischen den Flüssen ausgedehnt hat. Heute versuchen verschiedene Wissenschaften den Begriff Hunsrück wieder einzuengen, je nachdem, ob sie geologische, sprachwissenschaftliche, volks- oder wirtschaftskundliche Untersuchungen anstellen.

Hunsrück zwischen Rhein, Mosel und Nahe, lauter geheimnisvoll klingende Namen. Wer hat sie dem Land und den Flüssen gegeben, wer waren die Taufpaten? Generationen von Sprachforschern und Volkskundlern, von Historikern und Geographen mühten sich, sie aus dem Dunkel früher Menschheits- und Sprachgeschichte hervorzuholen und zu deuten. Zu Römerzeiten waren Rhenus–Rhein, Mosella–Mosel und Nava–Nahe schon feststehende Begriffe; indogermanische, keltische und gallo-römische Wortwurzeln hatten hier Pate gestanden: Rhein von *rei* (rinnen), Mosella, die Verkleinerungsform von Maas, dem keltischen *mosa*, und Nahe, verwandt mit dem griechischen *nao* (fließen), dem althochdeutschen *aha* (Wasser). Wer aber hat all den kleinen Bächen, die zu den Flüssen hin eilen, ihren Namen gegeben? Dhron-, Deimer- und Dünnbach, Traun-, Flaum- und Baybach, Lamet-, Simmer- und Kellenbach, Hahnen-, Kyr- und Guldenbach. Wiederum muß man älteste, heute nicht mehr gebrauchte Sprachen zu Rate ziehen, um eine Deutung zu finden: Simmerbach von *si* (tröpfeln, rinnen), Idarbach von *idhra* (fließendes, sprudelndes Wasser) oder Kellenbach von *kela* (Kehle, enges Tal). Leichter hat man es beim Guldenbach, denn hier wurde wirklich einmal Flußgold gefunden, und der Hahnenbach oder Hagenenbach ist der durch Buschwald fließende Bach. Soonwald tauchte erstmals im 9. Jahrhundert als *silva sana* auf. Mit *sana* ist das Wort Senn oder Hirte verwandt. Er war jahrhundertelang Weideland für riesige Rinder- und Schweineherden, die sich hier mästeten. Der Hochwald allerdings hat nichts mit der Höhenlage zu tun, er war vielmehr der Wald, der unter der Hoheit des Erzbistums Trier stand. Seine höchste Erhebung, der Erbeskopf, kann nicht mit Erbse oder gar Eber in Zusammenhang gebracht werden. Die einheimischen nannten ihn Moosberg und weisen damit auf die zahlreichen Brücher und Hochmoore in diesem Gebiet hin.

Einiges Kopfzerbrechen bereiten die Siedlungsnamen. Nicht alle lassen sich auf keltischen oder römischen

Ursprung zurückführen, wie man es, wenn man keine Deutung findet – oder aus Lokalpatriotismus –, gerne tut. Längst ist die Mär aufgegeben, daß Bacharach am Rhein seinen Namen vom Altar des Gottes Bacchus trägt. Vielmehr steckt darin ein Personenname mit angehängter Endsilbe *acum,* die über *aha* zu *ach* wurde und die alle soviel wie Wasser bedeuten. In die gleiche Namengruppe gehören Bad Kreuznach (Crucin-aha) und Monzingen mit seiner alten Schreibweise Monzecha. In Boppard, dem keltischen Boudobriga, steckt *briga* (Burg, Befestigung), während die spätere Schreibweise Botbardum das lateinische *barta* (Buschwald) enthält. Noch keine endgültige Aussage kann man über den Namen des kleinen Landstädtchens Kastellaun machen. Es ist kaum anzunehmen, daß es ein *castellum hunnorum* (Burg der Hunnen) war; fraglich ist auch, daraus die Burg eines Huno, eines germanischen Hundertschaftsführers, herzuleiten. In Sohren hält sich hartnäckig der Glaube, der Name käme von den hier angesiedelten sarmatischen Völkern, von denen Ausonius bei seiner Reise über den Hunsrück berichtete. Es gab sogar Leute, die ernsthaft behaupteten, man könne den heutigen Bewohnern ihre Herkunft noch ansehen.

Während sich im fruchtbaren Lößgebiet der Nahe die *heim*-Orte häufen und auf die frühe Besiedlung durch die Franken hinweisen, zeigt das Höhengebiet zwischen den Flüssen deutlich das allmähliche Vordringen der Menschen in ein siedlungsfeindliches Waldgebiet und den Kampf mit Dickicht, Gestrüpp und Büschen in einer langen Rodungsperiode. *Roth, rath-, schied-, feld-, bach-* und *hausen*-Orte, dazwischen einige Weiler mit dem Namen des Gründers, herrschen hier vor.

Die Deutung des Wortes Hunsrück schließlich, in einer Klosterurkunde von Ravengiersburg Ende des 11. Jahrhunderts erstmals genannt, würde den Umfang einer Dissertation annehmen, wollte man alle Varianten aufzählen. Jeder, der eine neue Deutung brachte, glaubte die Wahrheit gefunden zu haben, und darum schrieb ein Herr Wecus 1912 in patriotischer Begeiste-

rung: »Lange war das Wort verdunkelt, doch im Sonnenglanze funkelt Hunsrück nun als Edelstein in des Kaisers Kron am Rhein«, und der Hunsrücker Liederdichter Röhrig schleudert einen Bannstrahl gegen die Meinung, das Wort käme von Hund, bedeute also Hunderücken, Hundsbuckel, eine Meinung, die neuerdings wieder starke Verfechter hat. In seinem Vers erkennt man weitere Deutungsmöglichkeiten für Hunsrück:

»Ob's hoher Rücken heißt,
ob's auf die Hunnen weist –
war es der Hunen Ort,
hausten die Hünen dort –
jedenfalls tu ich's kund:
Hunsrück kommt nicht von Hund!«

Quarzite, Schiefer und Rotliegendes

Die Kammgesteine des »Taunusquarzits«, das Rückgrat des Hunsrücks, erstrecken sich vom Rhein in südwestlicher Richtung über den Soon-, Idar- und Hochwald, bis sie bei Mettlach im Gebiet des Saartals steil unter die Schichten der Pariser Schüssel abtauchen. Die Höhenzüge überragen die Hunsrückhochfläche bis zu 400 m. Sie tragen das farbige Kleid des Waldes und gewähren dem Wanderer immer wieder einen Blick in eine Landschaft von großartiger Schönheit. Mitunter durchbrechen die zu Tal eilenden Bergbäche das harte Gestein. Dann kommt es vor, daß gewaltige Quarzitfelsen zu beiden Seiten in die Höhe ragen und mächtige Schuttströme verwitterten Gesteins von den Waldhängen bis an die Uferkanten heranreichen. »Wer dem Laufe nachgeht, findet Landschaften von überraschender Schönheit, oft wild und schauerlich, aber von einer Einsamkeit und einem Naturfrieden überhaucht, den nur ein dichterisches Gemüt zu empfinden und zu würdigen vermag« (W. O. von Horn).

Aus dem östlichen Taunusquarzit des Binger Waldes schickt das romantische Morgenbachtal seine Wasser zum Mittelrhein. Unvermittelt steigen aus dem engen

Tal die Felswände auf: der kleine Turm, der Mainzer Turm, der Doppelkopffelsen und der Felsriegel. Es waren die Künstler der Düsseldorfer Malerschule, die sie im 19. Jahrhundert zum Gegenstand ihrer bildnerischen Darstellungen machten.

Der »Große Soon« oder »Hoher Soon« zwischen Guldenbach und Simmerbach hat drei parallel zueinander verlaufende Bergzüge. Besonders der nördliche Rücken zeigt, daß er eine aufgefaltete Quarzitbank darstellt, vom Geologen als »Sattel« bezeichnet. Wir beobachten die Faltenbildung im Lametbachtal, auf der Gemündener Höhe und am Koppenstein.

Die Gesteinsblöcke auf der Kammhöhe des sich an den Großen Soon anschließenden Lützelsoon sind von Klüften zerrissen, in Zacken und Grate geteilt. Als Quarzithärtlinge hielten sie der Verwitterung stand. Der Volksmund charakterisiert sie treffend mit bildhaften Namen: Katzenstein, Blickenstein, Wildfrauenhaus, Teufelsfels und Wehlenstein.

Der Soonwald findet – in nördlicher Richtung versetzt – bei Weitersbach im Idarwald–Hochwald-Rücken seine Fortsetzung. Dem Hauptzug sind im Süden mit dem Wildenburg-Rücken und im Norden mit Haardtwald und Osburger Hochwald je zwei Bergketten vorgelagert. Auch hier lassen sich wie im Soonwald die sattelartigen Aufwölbungen und die mit Tonschiefer gefüllten Einmuldungen erkennen. Wildenburg-Rücken, Mörschieder Burr und der Hunnenring bei Otzenhausen sind als Härtlingsrücken herauspräpariert. Die mechanische Zerrüttung des Gesteins ließ auch hier umfangreiche Quarzithangschuttbildungen entstehen.

Wie ist diese Landschaft entstanden? Es ist rund 370 Jahrmillionen her, als sich in Nordeuropa ein ausgedehntes Festland – der sogenannte Old-Red-Kontinent – ausbreitete, dessen Südufer auf einer Linie Irland–Südengland–Belgien–Mittelpolen verlief. Eine Insel, von Südfrankreich bis Polen reichend, lag ihm gegenüber. Sie hatte genau am Südrand des Hunsrücks und des Taunus ihren Küstenverlauf. Zwischen der

Mitteleuropäischen Insel und dem Old-Red-Kontinent zog sich das Rheinische Becken (Rheinische Geosynklinale) hin. Aus der »Mitteldeutschen Schwelle« verfrachteten die Gewässer die Abtragungsprodukte ins Meer, jene feinen Quarzkörner, die eng miteinander verwachsen und mit Kieselsäure verkittet die späteren Quarzite bildeten. Es ist eine küstennahe Ablagerung gewesen. Dem Geologen gelang es, durch Fossilienreste von Brachiopoden, Muscheln, Schnecken, Crinoiden und Korallen die feinen Wechselfolgen in den Schichten der Quarzite festzulegen. Tonig-sandige Übergangsschichten (Zerfer und Emser Schichten) folgen auf den Taunusquarzit, über den sich die noch jüngeren mächtigen Tonschieferschichten des Hunsrückschiefers lagern. Auch sie sind durch Ablagerungen im Rheinischen Becken entstanden. In Jahrmillionen wurden feine Sande und Schluffe abgelagert, stofflich vergleichbar mit den Wattschlicken der Nordsee, und bildeten Schichten von einer Mächtigkeit bis zu 3000 m. Die Meeresströmungen und Ufergrenzen veränderten sich, die Liefergebiete der Quarzsande waren abgetragen, die Temperaturen nahmen zu. Die in Schwellen und Tröge gegliederte Meeresregion zwischen dem Old-Red-Kontinent und der Mitteleuropäischen Insel sank im Laufe von 50 Millionen Jahren ab, so daß der feinsandige Tonschlamm immer tiefer sank und sich unter dem starken Druck zu Schieferton verfestigte.

Im Karbon (Steinkohlezeit) erfolgte in Phasen eine Faltung der im Devonmeer horizontal abgelagerten Schichten, die sogenannte »Variskische Gebirgsbildung«. Der Taunusquarzit und der Hunsrückschiefer wurden von Südosten aus zu Faltenzügen zusammengeschoben, wobei der ältere Taunusquarzit den Kern der Faltensättel bildete, der Hunsrückschiefer aber die Mulden ausfüllte. Dann wird das Nahe–Saar-Gebiet abgesenkt, ein Graben mit einem großen Binnensee entsteht. Hier werden rote Sedimente (Rotliegendes) abgelagert. Auch der variskische Hunsrück wird nach Süden abgetragen. Der Abtragungsschutt kann heute im Rotliegenden des Naheberglandes nachgewiesen werden. Zuletzt blieb nur noch ein Gebirgsrumpf, aus dem sich die Sättel des Taunusquarzits als Härtlinge herausbildeten.

Die Gliederung des heutigen Landschaftsbildes in Teillandschaften vollzog sich vor 1,8 Millionen Jahren im Diluvium, als sich das Rheinische Schiefergebirge zum »Rheinischen Schild« heraushob. Die Bruchstelle liegt südlich der Gebirgszüge zur Nahe hin. In dieser Zeit wurden die Härtlingsrücken weiter herauspräpariert. Die Bäche trugen den Verwitterungsschutt fort und schnitten sich tief in das Gebirge ein, und wo die Hunsrückbäche die Faltenzüge eingekerbt haben, gewähren die Talhänge in hervorragender Weise einen Einblick in den inneren Aufbau, in die Tektonik, der Quarzitbänke.

Am besten haben die Tonschlammablagerungen des Devonmeers ihre Lebensreste erhalten. In Schieferbettungen häufen sich die Fossilien. In den Gruben von Bundenbach und Gemünden hatten die Schieferbrecher bald einen Blick für die verdächtig dick geformten Platten, die mit großer Wahrscheinlichkeit Einschlüsse von Meerestieren enthielten. Sie entfernten in mühsamer Arbeit mit Schabern aus Küchenmessern die gröbsten Erhebungen. Mit Nadeln und dünnen Feilen legten sie schließlich die feinsten Körperpartien der Fossilien frei. Diese schwierige, Fingerspitzengefühl erfordernde Arbeit konnte nur deshalb erfolgreich sein, weil die Skelette, die aus Calciumverbindungen bestehen, mit einer feinen Haut aus Schwefeleisen (Pyrit) überzogen sind. Dieser Pyrit besitzt eine außerordentliche Härte gegenüber dem viel weicheren und feinkörnigen Schiefer. Tierische Lebensformen traten in Massen zutage: die zierlichen Seelilien, Seesterne und Schlangensterne, dazu Trilobiten, Glieder- und Kopffüßler, Muscheln, Korallen, Schwämme und Fische. Rund 300 Tierarten sind uns bisher aus der Fauna des Hunsrückschiefermeers bekannt geworden.

Leider kam der Dachschieferabbau in den letzten Jahrzehnten zum Erliegen. Nur noch die Grube Eschenbach (bei Bundenbach) fördert weiterhin Schiefer im Tagebau. Bewunderung gilt heute dem stillgelegten Besucherbergwerk »Schiefergrube Herrenberg« bei Bundenbach. Der Chronik nach reichen die ersten Schürfungen ins 16. Jahrhundert zurück. Die handgepickelten Stollen, die im Innern angelegten Abbauhallen lassen etwas von der mühevollen Tätigkeit der Schieferbrecher in vergangenen Jahrhunderten ahnen.

Die Flora

Dunkelgrüne Fichtenwälder und darin im Frühjahr das lichte Laub von Buchen, Eichen und Birken, bedecken die Quarzitkämme des Hunsrücks, stehen wie Inseln zwischen Ackerfluren, Wiesen und Weiden. An den Hängen der Täler zieht sich das Laubwerk des Niederwaldes bis zu den feuchten Schluch- und Auwäldern an den Bächen. Erlen, Pappeln, hie und da noch eine Weide begleiten die Gewässer. Wenn aber der Herbst ins Land kommt, hebt ein Leuchten und Gleißen an, ein einziges Schwelgen in Farben. Auf abgeholzten Kahlflächen greift der Rote Fingerhut zu Tausenden und Abertausenden um sich und überzieht die Baumstümpfe mit einem Purpurteppich. Am Waldrand aber ducken sich unter hohen schlanken Fichten und Kiefern, Weiß- und Schwarzdorn, Heckenrose und Wolliger Schneeball, Pfaffenhütchen und Faulbaum, Haselnußhecken und Holunder. Im Herbst schütten diese Sträucher die Fülle ihrer Gaben aus: leuchtend rote, blaue und schwarze Beeren, tiefblau die Schlehen, scherzhaft auch »Hunsrücker Weintrauben« genannt, glänzend schwarz die tödlich giftigen Tollkirschen, korallenrot der Traubenholunder, blauschwarz die Beeren des Holunders, des »Herrgotts Apotheke«. Der in vergangenen Jahrhunderten weitverbreitete Wacholder hat sich in einige naturgeschützte Reservate zurückgezogen, die jedoch den Forstleuten mancherlei Sorge bereiten, da sie seit dem Verschwinden der Schafherden mit großem finanziellem Aufwand vorm Überwuchern geschützt werden müssen.

11

Der Gegensatz von den Talstufen der Flüsse mit mediterranen und pontischen Pflanzenarten und den Mittelgebirgsstufen mit montanen und subborealen Pflanzenelementen geht auf sehr unterschiedliche Bodenformationen zurück. Die Vielgestaltigkeit der Landschaft mit Taunusquarzit und seinen übersäuerten Böden, das devonische Schiefergestein, eingelagerte vulkanische Porphyr- und Melaphyraufbrüche, der Wechsel von bizarren Felsen, lieblichen Wiesengründen, aber auch das Gefälle von Klima- und Niederschlagsgebieten von den Hunsrückhöhen zu den Flußtälern, die Polarität von schattigen Nordhängen und sonnenüberstrahlten Felspartien sind die Ursachen für einen unübersehbaren Reichtum an Blumen und Pflanzen. Stauende Nässe hat an einigen Stellen Birken- und Erlenbruchwälder erhalten, und auch Esche, Ahorn und Ulmen sind nicht ganz ausgestorben. Hier und da begegnet man blühenden Kastanienbäumen, und im Sommer und Herbst leuchten die Blätter von Roteichen und Blutbuchen. Wechselnde Farben bestimmen das Bild der Jahreszeiten. Im Frühjahr weckt die warme Märzsonne unter den noch unbelaubten Hekken leuchtende Blausterne, rötlichen Lerchensporn, weiße Buschwindröschen oder Anemonen, gelbe Feigwurz und tiefblaue Veilchen. Die Wiesen überziehen sich mit gleißendem Gelb von Löwenzahn und Hahnenfuß. Die Farbe wird abgelöst von dem hellen Blau des Wiesenschaumkrauts, überragt von den unübersehbaren und noch schwerer zu bestimmenden Doldengewächsen von Wilder Möhre, Bärenklau und Wiesenkerbel. Auf den Trockenrasen leuchten die karminroten Steinnelken, gelber Mauerpfeffer, dottergelbes Johanniskraut und der hellblaue Natterkopf. Die Hänge zum Rhein, zur Mosel und zur Nahe tragen im Spätfrühling die gelben Blüten des Färberwaid, in früheren Jahrhunderten eine Zuchtpflanze zur Gewinnung von Indigo.

Umdenken in der Medizin hat den Blick wieder auf die Fülle der Heilkräuter hingelenkt, die im 12. Jahrhundert bereits die hl. Hildegard, Äbtissin vom Kloster Rupertsberg, bei Bingen im Nahetal und den Bergen sammelte und in ihrer Wirkung beschrieb. Zwar haben landwirtschaftliche Produktionszwänge und die damit verbundene Mechanisierung und Flurbereinigungen viele Kräuter verdrängt, doch immer noch findet man die heilsame Kamille mit ihrem weißen Strahlenkranz, die kreislauffördernde Schafgarbe und das Brandwunden lindernde Johanniskraut. Selten geworden sind der rote Mohn und die blaue Kornblume. Düngung und Spritzmittel lassen diesen Ackerunkräutern keinen Platz mehr. Selten geworden sind auch mit der überall durchgeführten Trockenlegung und Entwässerung die Pflanzen der Feuchtgebiete. Sonnentau muß man inzwischen mit der Lupe suchen, und das wasseranzeigende Wollgras gedeiht nur noch als Relikt auf einigen sauren Wiesen von Soon-, Idar- und Hochwald. Einige Kostbarkeiten aber sollen, ohne den Standort preiszugeben, genannt werden. Der Volksmund bezeichnet sie als »Knabenkräuter« nach der hodenartigen Form der Wurzelknollen. Es sind die Orchideen mit einer Form- und Farbenfülle, wie man sie nur ahnen kann. Ungedüngte saure Waldwiesen sind die Heimat des Gefleckten und Breitblättrigen Knabenkrauts, schattiger Niederwald für die große leuchtende Purpurorchis und das Weiße und Rote Waldvögelein. Trockene und kalkarme Wegraine und Rasen tragen die Waldhyazinthe oder Kuckucksblume und die kaum als Blume erkennbare Grüne Hohlzunge. Die Artenzahl nimmt von der montanen Stufe zur Nahe hin zu, wo Bocksriemenzunge, Brandorchis und die sehr seltene Fliegenophris anzutreffen sind. Wenige Schwertlilien oder Iris stehen an Bachrändern, Teichrosen überziehen einige kleine stehende Gewässer, und in das zerfallende Gestein von Burgruinen hat sich der Aronstab mit seiner Kesselfallenblüte zurückgezogen. Versteckt unter dem lichten Dach von Buchen verraten im Frühjahr Maiglöckchen und Waldmeister, im Hunsrück auch Maikraut genannt, daß es Frühling geworden ist. Hier findet sich auch eine Vielzahl von Farnen: Wurm-, Schild-, Buchen-, Eichen- und Rippenfarn bis zu dem ganz seltenen Königsfarn im Hochwald und den dort ebenfalls verbreiteten Adlerfarnbeständen. Und da die botanische Wanderung wiederum den Wald erreicht hat, sollte man die Heidelbeer-, Moosbeer-, Himbeer- und Brombeersträucher nicht vergessen, die köstliche Wildfrüchte liefern, und auch nicht die vielen Pilze, eßbare, giftige und ungenießbare, Röhren-, Blätter- und Stachelpilze, leuchtend rot lockende Fliegenpilze, dunkelrote Tintenfischpilze, erdbraune Steinpilze, totenbleiche und tödlich wirkende Knollenblätterpilze und ockergelbe Pfifferlinge. Scharen von Pilzsammlern durchkämmen nach Regentagen die Wälder nach den Kostbarkeiten für den Gaumen, nicht unbedingt zum Nutzen der Standorte.

Landschafts- und Naturschutzgebiete im Hunsrück, in den Seiten- und auch in den Flußtälern, einzeln geschützte Naturdenkmale sollen dazu beitragen, den rapiden Schwund an Pflanzen und auch an Tieren einzudämmen. Die »Rote Liste« von gefährdeten Arten ist groß geworden. Es sollte zuletzt bei aller Aufzählung von pflanzlichen Kostbarkeiten und Schönheiten in der Berglandschaft nicht verschwiegen werden, daß auch in den Hunsrückwäldern der saure Regen und die Absenkung des Grundwasserspiegels den Baumbestand zu gefährden beginnen.

Die Historie: Geschichte, Burgen, Kirchen, Kunst

Dem Menschen ist in seiner kurzen Lebensspanne meist der Lebensraum durch natürliche Abgrenzungen vorgegeben. Innerhalb dieser abgegrenzten Räume vollzieht sich sein heimatgebundenes Schicksal. Zusammen mit den historischen Komponenten, den staatlichen, wirtschaftlichen, sprachlichen und religiösen Abläufen gestalten die Naturfaktoren das menschliche Zusammenleben.

Für die Vor- und Frühgeschichte lassen sich die Zusammenhänge am schwierigsten fassen. Der Forscher ist einzig auf die Auswertung der archäologischen Quellen angewiesen, die er einigermaßen sicher auch nur in der Einordnung in größere Kulturkreise zu deuten vermag.

Für die Altsteinzeit sind die Funde auf der Hochfläche des Hunsrücks und in den sie eingrenzenden Flußtälern selten. Im Ersten Weltkrieg gelang es dem Kreuznacher Museumsleiter, im Lindengrund bei Heddesheim, einen Meter tief unter dem Sandlöß die Feuerstelle einer rastenden Jägertruppe festzulegen. Er entdeckte die Knochenreste von Wildpferd, Rentier, sibirischem Nashorn, Höhlenbär, Wolf, Eisfuchs und Ziesel. Es ist die Zeit, in der Jägerhorden die Steppen durchstreifen, denn Jagd, Fischfang und das Einsammeln von Wildfrüchten bestimmten ihren Tagesablauf. Die abgenagten fleischlosen Knochen ließen die Jäger aus dem Lindengrund zurück, die übrigen nahmen sie mit in ihre unbekannten Behausungen.

Sind die nomadisierenden Jägerhorden der Altsteinzeit, ohne merkliche Spuren zu hinterlassen, wieder verschwunden, so tritt in der Lebens- und Wirtschaftsform des Menschen der Jüngeren Steinzeit ein tiefgreifender Wandel ein. Der Jäger und Sammler wurde zum seßhaften Siedler, der seinen Lebensunterhalt aus der Viehzucht und dem Ackerbau zu gewinnen vermochte. Die Besiedlung scheint sich zunächst auf die Tallandschaften beschränkt zu haben. Für den östlichen Teil des Hunsrücks erfolgte sie vom Rheingebiet, für den westlichen vom Saargebiet aus. Gegen Ende der Bronzezeit wanderten Ackerbauern der Urnenfelderkultur auf die Höhen des Hunsrücks. Die Toten wurden verbrannt, der Leichenbrand in Urnen beigesetzt und das Grab mit einer Hügelschüttung überwölbt. Grabhügel sind auch das Kennzeichen der Hunsrück-Eifel-Kultur. Reich sind die Beigaben an Bronzeschmuck, bei den Frauen glatte und tordierte Hals-, Arm- und Brustringe und Bronzefibeln, bei den Männern Waffen wie Speerspitzen, Lanzen und Hiebmesser. Eine Oberschicht ließ sich in Oppertshausen, Bell, Hoppstädten-Weiersbach und in Hundheim am Fuße des Idarwaldes auf zwei- und vierrädrigen Wagen bestatten. Die Jüngere Hunsrück-Eifel-Kultur war die

Zeit der großen Kelteninvasion. Und dann erwuchs im Verlauf des ausgehenden 3. und im 2. Jahrhundert v. Chr. aus der Restbevölkerung der Hunsrück-Eifel-Kultur der Stamm der Treverer, der zu beiden Seiten der Mosel siedelte und dessen Mittelpunkt zur Römerzeit die Stadt »Augusta Treverorum« war. Die vom Trierer Landesmuseum in neun großartig angelegten Grabungskampagnen (bis 1974) in Wederath-Belginum und auf der Altburg bei Bundenbach, einer befestigten Burgsiedlung, haben uns den bisher besten Einblick in die Kultur der Treverer gewährt.

Unter Cäsar eroberten die Römer das gesamte Gebiet bis zum Rhein. Mit Ober- und Niedergermanien schuf Rom zwischen 85 und 90 zwei Grenzprovinzen am Rhein, die in der dahinterliegenden Provinz Belgica mit der Trevererhauptstadt Trier einen maßgeblichen Stützpunkt besaßen. An der Nahebrücke bei Bingerbrück wurden im Jahr 70 die unter Julius Tutor stehenden aufständischen Treverer von den Römern geschlagen. Petilius Cerealis rückte von Mainz aus mit den ihm zur Verfügung stehenden Legionen in drei Tagesmärschen nach Riol unterhalb von Trier vor, besiegte die Treverer erneut und zog in Trier ein. Cerealis muß bei seinem Aufmarsch über den Hunsrück vor allem die sogenannte Ausonius-Straße benutzt haben. Unter Kaiser Claudius (10 v. Chr.–54 n. Chr.) war diese vorgeschichtliche Straße ausgebaut worden, die Decimus Magnus Ausonius als Prinzenerzieher Kaiser Valentinians I. auf der während des Feldzugs gegen die Alamannen 368 unternommenen Reise benutzt hat. Als köstliche Beute führte Ausonius die blonde und blauäugige Bisulla heim.

In den eroberten römischen Gebieten siedelten Kolonisten, vor allem Veteranen des römischen Heeres. Überall an günstig gelegenen Südhängen entstanden die selbständig wirtschaftenden Gutshöfe, Herrenhäuser mit Wirtschaftsgebäuden und Gesindewohnungen, umgeben mit Mauern und Hecken. Die Römer brachten in das Land der Treverer entscheidende zivilisatorische Fortschritte, eine hochentwickelte Landwirtschaft, ein weitverzweigtes Straßensystem, den Steinbau, eine beachtliche Wohnkultur, den Garten- und den Weinbau. Rasch scheint sich die einheimische Bevölkerung der römischen Kultur angepaßt zu haben. Im 3. Jahrhundert n. Chr. überschritten die Germanen den Rhein, drangen weit in das Reich der Römer ein und zerstörten zahlreiche Gutshöfe. Die Anstrengungen Kaiser Valentinians I., die Rheinuferfestungen auszubauen, brachten keinen dauerhaften Erfolg. Im Jahr 400 überwanden Alanen, Sueben und Alamannen erneut die Rheinlinie und beendeten damit für immer die Römerherrschaft am Rhein und im ehemaligen Land der Treverer, ein Ereignis von historischer Tragweite. Das Tor zum Westen war aufgestoßen.

Nach der Mitte des 5. Jahrhunderts nahmen die Franken das Land in Besitz. Die politische Entwicklung der folgenden Jahrhunderte bestimmten maßgeblich das geistliche Erzstift Trier und die Dynastengeschlechter von Sponheim, die Pfalzgrafen bei Rhein und die Nachfahren der Nahegaugrafen, die Wild- und Raugrafen und die Grafen von Veldenz.

Der Hauptbesitz der Wildgrafen – sie teilten sich später in die Linien Dhaun, Kyrburg und Schmidtburg – lag an der mittleren Nahe und im mittleren Hunsrück. Ihnen blieb versagt, ihren großen Besitz zu einem bedeutenden Territorium zusammenzufassen. Zu sehr war durch die vielen Haupt- und Nebenlinien der ererbte und erheiratete Besitz zersplittert worden. Die Raugrafen, in ständigen finanziellen Nöten, verwirtschafteten ihre Güter und starben schließlich im 15. Jahrhundert aus. Der Besitz der Grafen von Veldenz ging mit den umfangreichen Lehensgütern und Vogteien (Amt Meisenheim, Lichtenberg, Baumholder, Berschweiler, Remigiusland bei Kusel, Waldgrehweiler und Hohenöllen) durch Heirat in die Hand der Pfalzgrafen bei Rhein über.

Die Pfalzgrafen hatten im Auftrag des Königs die Reichsrechte und Besitzungen zu wahren und über die Forste zu wachen. Von Aachen aus waren sie nach Süden zur Mosel abgedrängt worden. Pfalzgraf Heinrich hatte auf seiner Burg in Cochem seine Gemahlin im Wahnsinn ermordet. Hermann von Stahleck (1142 bis 1156) weitete seinen Besitz über den Hunsrück und den Mittelrhein hinaus bis zum Nahegau aus. Pfalzgraf Konrad von Staufen gelang es schließlich, ein festes Territorium mit den Mittelpunkten Alzey und Heidelberg zu schaffen.

Ein Geschlecht, das in der Geschichte des Nahe–Mosel-Raums einen bedeutenden Rang einnimmt und nach 1000 auftritt, ist das der Grafen von Sponheim. Ihre Stammburgen waren Sponheim und Dill. Durch die Verbindung des Grafen Meginhard mit Mathilde von Mörsberg waren die Güter aus der Nellenburg-Mörsbergischen Herrschaft im Nahegau an das Haus Sponheim gekommen. Ein Zweig ging schon früh nach Kärnten und begründete dort die Linie Sponheim-Lavant. Als Herzöge und geistliche Würdenträger übten sie in ihrer neuen Heimat rasch bedeutenden Einfluß aus. Das rheinische Haus der Sponheimer trennte sich im 13. Jahrhundert in die Linien Sponheim-Starkenburg mit Trarbach, Birkenfeld, Allenbach, Herrstein und in Sponheim-Kreuznach mit Kreuznach, Winterburg, Naumburg, Kirchberg, Sohren und Kastellaun. Der gesamte Besitz ging 1437 an die Markgrafen von Baden und die Grafen von Veldenz über. Unter dem Trierer Erzbischof und Kurfürsten Balduin von Luxemburg (1307–1354) erlebte Kurtrier seine große Zeit. Balduin verstand es, das alte Kerngebiet an der mittleren Mosel mit den Ämtern Pfalzel, Saarburg, Merzig, Grimburg, Zell, Bernkastel und Baldenau sowie den Außenposten Koblenz und Montabaur durch die Hinzuerwerbungen der Ämter Cochem, Münstermaifeld und des Gallscheider Gerichts zusammenzuschließen. Außerdem dehnte er seinen Herrschaftsbereich mit der Übernahme der früheren Reichsgüter Boppard und Oberwesel ein gutes Stück rheinaufwärts aus. Auf der Hochfläche kam er über einige Lehensauftragungen (Kirchberg, Simmern und Dill) nicht hinaus. Im Hahnenbachtal gelang es dem Trierer Erzbischof, aus der Wildgräflichen Erbschaft die wichtige Schmidtburg an sich zu bringen. Die zahlreichen Burgen und Burgruinen auf dem Hunsrück und an den Waldhängen der angrenzenden Täler haben alle ihre Schicksale. Es waren die führenden Mächte des Mittelalters, das Reich, die Erzbischöfe von Köln, Trier und Mainz und die Pfalzgrafen bei Rhein, die nach weltlichen Besitztümern drängten und diese mit starken Wehranlagen sicherten. Dazu kamen dann auch bald die Bestrebungen der reichen Dynastengeschlechter, der Ritter und Ministerialen. So findet sich denn auf den Höhenzügen entlang der Flußtäler und auf dem Hunsrück auch alles, was es an Formen des Burgenbaus je gegeben hat: einfache »feste Häuser«, kleine Dorfadelssitze, Ganerbenburgen, schließlich auch Festungsbauten und Residenzen. Die wenigsten dieser Wehranlagen haben die unruhigen Zeiten ohne Schaden überstanden. Die Ruinen wurden vielfach als Steinbruch ausgebeutet. Die Burgen am Rhein hatten ihr Gesicht zum Strom gerichtet, der im Mittelalter zur wichtigsten Handelsstraße des Reiches geworden war. Die angrenzenden Landesherren sahen in den Zöllen eine stets begehrte, leicht zu kontrollierende Einnahmequelle. Rheinstein, Reichenstein (Falkenburg), Fürstenberg, Stahleck, Pfalzgrafenstein, Schönburg, Rheinfels und Stolzenfels waren solche Zollburgen. Meist aber dienten die Burgen dem Schutz der Herrschaftsbereiche. Sie überwachten Täler und Handelsstraßen, hatten einen weiten »Auslug« und boten eine taktisch günstige Position im Falle der Verteidigung.

Zahlreiche Burgen hatten nur von der überhöhten Bergseite her einen Zugang und waren daher »Spornanlagen«. Um sich vor der Bedrohung zu schützen, mußte ein breiter Halsgraben aus dem Fels geschrotet werden. Beispiele hierfür sind die Schönburg, die Stahleck und Reichenstein.

Die staufische Epoche gilt als die klassische Zeit des Burgenbaus. In diese Zeit weist ein bautechnisches Merkmal, der Buckelquader. Die Staufer orientierten sich am salomonischen Tempel in Jerusalem und empfahlen diese Art des Mauerbaus ihren heimischen Baumeistern. An den Außenmauern des Bergfrieds von Sponheim läßt sich der staufische Buckelquaderbau exemplarisch studieren. Es sind nach außen gewölbte, mit sauberem Randschlag versehene mächtige Steine. Unter dem als Territorialpolitiker und Kriegsmann hervorgetretenen Erzbischof Balduin von Trier, »dem Edelherrn in geistlichem Gewande«, erhielt der Burgenbau neue Impulse. An die Stelle der herkömmlichen Burg traten breit ausladende Wohntürme, die Wohnkomfort und Wehrhaftigkeit in sich vereinigten, inspiriert vom französischen Donjon-Typ und dem englischen Tower. Selbstbewußt gab der Kurfürst den durch ihn erbauten Burgen seinen Namen: Baldenau, Balduinseck, Baldenrüsse (Rauschenburg), Balduinsburg (Boppard) und Baldeneltz (Trutzeltz).

Wenn auch die Hauptaufgabe der Burgen darin bestand, in Kriegszeiten eine strategisch günstige Position zu behaupten, so waren die Burgen in Friedenszeiten oft auch beliebte Heimstätten der Kunst. Aus der Epoche der Minnesänger ist beispielsweise für den Hunsrück Wilhelm von Heinzenberg zu erwähnen. Er konnte wie kaum ein anderer den Frühling preisen und die Minne besingen. Der folgende ins Neuhochdeutsche übertragene Liedvers ist in der »Weingartner Handschrift« überliefert:

Doch freu' ich mich der lieben Zeit,
Die uns nun naht zu allen Tagen;
Der Vögel Lied im Wettestreit
Ließ gänzlich ab von Weh und Klagen.
Ich will euch frohe Märe sagen:
Die Nachtigall, die hört ich singen,
So muß mein Herz nach Freude ringen.
Sie ist so gut,
Minne, du bezwingst mich besser,
Als jemand tut.

Auch die Sagen und Spinnstubenerzählungen nehmen ihren Stoff aus der Burgenzeit und haben ihr reichlich zu literarischen Ehren verholfen. Einige davon sind mit historischen Ereignissen verknüpft. Den Raubritter von Sooneck blendet der Fürstenberger und läßt ihn im Verlies schmachten; die sieben schönen Jungfrauen auf der Schönburg müssen für ihre Herzenskälte jetzt als Felsklippen aus dem Rheinwasser ragen; der Koppensteiner ist freigebig und bewirtet auf seine Kosten Beamte und Bürger der Stadt Kirchberg; Wyrich von Oberstein stürzt aus blinder Eifersucht seinen Bruder aus seiner Burg in den Abgrund und errichtet zur Sühne eine Kirche im Felsen; der trinkfeste Boos von Waldeck leert den Stiefel mit Wein und gewinnt dadurch den Ort Hüffelsheim.

Die Vorläufer der mittelalterlichen Burganlagen sind die vorgeschichtlichen Fliehburgen aus den letzten vier Jahrhunderten vor Christus: der Ringskopf bei Allenbach, die Anlagen auf der Wildenburg bei Kempfeld und die Ringwälle von Otzenhausen mit 19 ha Innenfläche, einer 2,2 km langen Wallanlage, in der über 200000 Kubikmeter Steine verbaut wurden, ein imposantes Denkmal der Vorgeschichte auf deutschem Boden. Es gehören dazu die Turmhügelburgen (Motten) aus der Karolingerzeit, der »Nonnenberg« bei Mörschbach, die Horner und Bubacher Burg, die »Alte Burg« bei Laudert und die »Schanze« bei Dudenroth. Es sind aus Holz oder Stein gebaute Wohntürme, errichtet auf einem künstlichen Hügel und umgeben von Wall und Graben. Auch die »Ansitze« bei Langweiler und der Abschnittswall am Harpelstein über dem Dhrontal können als Frühformen mittelalterlicher Befestigungsanlagen angesprochen werden.

Der Hunsrück war im Mittelalter nie eine Klosterlandschaft gewesen. Glanz und Bedeutung hatten die in der lothringischen Klosterreform entstandene Reichsabtei St. Maximin in Trier, deren Streubesitzungen über den Hunsrück bis weit nach Rheinhessen reichten, und die reiche, in der Eifel liegende Benediktinerabtei Prüm. Letztere erlebte schon unter den Karolingern eine frühe Blütezeit. Ihr übereignete der fränkische König Pippin die Grab- und Verehrungsstelle des hl. Goar in St. Goar am Rhein. Die Gunst der Karolinger genoß auch das

Reichskloster Lorsch an der Bergstraße. Nahezu alle karolingischen Könige mehrten den Besitz und gaben dem Kloster Ansehen und Reichtum. Bis in die Wälder des Soonwaldes hinein reichte schließlich das ansehnliche Schenkungsgut.

Es dauerte noch über die Jahrtausendwende hinaus, ehe der hohe Adel auf dem Hunsrück zu monastischen Gründungen schritt. Auf dem »Mons Campi« bei Sponheim ließ die fromme Gesinnung des Grafen Eberhard von Nellenburg und seiner Mutter Hedwig eine Kirche entstehen. Hier siedelten später Benediktiner aus St. Alban und St. Jakob in Mainz. Der über dem Grundriß eines griechischen Kreuzes aus fünf Quadraten errichtete kubische Baukörper wird von einem mächtigen achteckigen Vierungsturm bekrönt. Das »Chronicon Sponhemense«, verfaßt von dem großen Humanisten und eifrigen Büchersammler Johannes Trithemius, bewahrt weitgehend die Geschichte dieses Klosters. Entschieden setzte sich der Sponheimer Abt für die Bursfelder Reformbewegung seines Ordens ein, bis ihm schließlich sein Eifer selbst zum Verhängnis wurde. Die Mönche schritten während seiner Abwesenheit zur offenen Rebellion. Trithemius gab schließlich sein Kloster auf und fand im Schottenkloster zu Würzburg eine neue Bleibe.

Mitten im Hunsrück kam es auf der Ravengiersburg zu einer weiteren eindrucksvollen Klostergründung. Im Landeshauptarchiv in Koblenz wird jene Urkunde verwahrt, nach der Graf Berthold und seine Frau Hedwig eine Eigenkirche stifteten, der sie im Jahr 1074 ihre Güter im Nahegau, im Trechirgau und in »Hundesrucha« übertrugen, damit der Erzbischof von Mainz hier ein Kloster errichtete. Die Kanoniker waren Augustiner-Chorherren, ihr Vogt der Klosterstifter selbst. Später hielten die Pfalzgrafen bei Rhein und die Wildgrafen von Kyrburg als Schirmherren und Vögte schützend ihre Hand über den Konvent. Beim Bau des Westwerks stöhnten die Kanoniker unter der Last der Arbeit. Hilfesuchend wandten sie sich an die hl. Hildegard von Bingen und baten sie um die Auslegung ihrer

Regel. Was sie nach mehreren Bauphasen geschaffen hatten, war ein gewaltiges Werk. Die Freigeschosse der Türme wachsen aus einem wuchtigen romanischen Unterbau. In ihrer künstlerischen Durchbildung weichen sie leicht voneinander ab. Das berühmte Westwerk zeigt eine bemerkenswerte Ausschmückung von reich gearbeiteten Säulen, von kunstvollen Spitzbogenblenden und eindrucksvollem Gurtgesims mit Omega-Fries. Die Architekten des Fassadenprogramms mit Majestas-Relief, bekleidetem Kruzifixus und Adam- und-Eva-Relief haben sich zweifellos an den Domen von Verdun und Trier orientiert. Es ist ein architektonisches Meisterwerk besonderer Größe. Zerstörungen durch Brand und Kriege haben das Schiff, die Krypta und die Klostergebäude in arge Mitleidenschaft gezogen und neuere Zubauten das ursprüngliche Bild der Anlage stark verändert. Trotzdem bleibt das Bauwerk ein eindrucksvolles Zeugnis mittelalterlicher Zeit auf dem Hunsrück.

Nachdem Bernhard von Clairvaux um die Mitte des 12. Jahrhunderts am Mittelrhein aufgetreten war und zum zweiten Kreuzzug nach dem Heiligen Land gepredigt hatte, entstand mitten im Hunsrück das Zisterzienserinnenkloster Kumbd, ein Tochterkonvent von Eberbach im Rheingau. Bald zogen von hier aus Nonnen nach St. Katharinen bei Kreuznach und ins Flaumbachtal nach Engelport, um neue Jungfrauenkonvente ins Leben zu rufen. Das Zisterzienserinnenkloster Allerheiligen zu Oberwesel geht vermutlich auf die Herren von Schönburg zurück, die dem Konvent ihre ganz besondere Förderung angedeihen ließen. Dem rheinischen Adel entstammte auch jene Frau, die als Mystikerin und Autorin medizinischer und naturwissenschaftlicher Schriften berühmte hl. Hildegard von Bingen, die Stifterin des Benediktinerinnenklosters Rupertsberg. Der Sponheimer Abt Johannes Trithemius war von ihren Weissagungen und Prophezeiungen tief beeindruckt und nahm sie in den »Catalogus illustrium virorum Germaniae« auf.

Die konfessionelle Spaltung des 16. Jahrhunderts

brachte große Umwälzungen auf religiösem Gebiet. Das Kurfürstentum Trier blieb katholisch. Die Erzbischöfe beseitigten die religiösen Einflüsse und hielten sich streng an die Durchführung der Tridentiner Beschlüsse. Anders in den kleinen Territorien des Hunsrücks, in der Rhein- und Wildgrafschaft und den pfälzischen Gebieten. Die Wild- und Rheingrafen der beiden Linien Dhaun und Kyrburg neigten schon früh zur neuen Lehre und begannen am frühesten mit dem Werk der Reformation. Die Landesherren sind es, nicht der an der Spitze des Reiches stehende Kaiser und auch nicht die zu passiven und mit den Ereignissen zu wenig vertrauten Untertanen, die die reformatorische Bewegung förderten und in Gang setzten. Es folgen die Kurfürsten von der Pfalz, deren ausgedehntes Territorium mit den Ämtern Bacharach, Böckelheim und Stromberg in den Hunsrück griffen und die als Kondominatsherren der Vorderen Grafschaft Sponheim ihren Einfluß voll zur Wirkung brachten. Im Herzogtum Simmern und in der Hinteren Grafschaft Sponheim mit den Ämtern Kastellaun, Trarbach, Winterburg, Herrstein, Allenbach und Birkenfeld vollzog der Simmerner Herzog sein jus reformandi, so daß Ende des 16. Jahrhunderts wie in den meisten reichsfreien Städten auch im mittleren und südlichen Hunsrück die Reformation gesiegt hatte.

Es war dann ausgerechnet der junge, ehrgeizige pfälzische Kurfürst Friedrich aus dem Hause Pfalz-Simmern, verheiratet mit der Tochter des englischen Königs Jakob, der nach der böhmischen Krone griff und die Pfalz und das ganze deutsche Reich in die Wirrnisse eines dreißig Jahre dauernden Krieges riß. Die zerstörte Pfalz versuchte der Sohn des Winterkönigs Friedrich, Karl I. Ludwig, mit großer Kraftanstrengung wiederaufzubauen. Um den Wiederaufbau seines Landes angesichts der Ohnmacht der Reichsgewalt nach Westen abzusichern, gab er seine Tochter Liselotte dem Bruder des Sonnenkönigs Ludwig XIV. zur Frau. Trotz des bei der Heirat abgesprochenen Verzichts Frankreichs auf Erbländereien erhielt der französische General Ezé-

chiel Mélac nach dem Aussterben der Linie 1689 den Befehl »de brûler le Palatinat«. Noch einmal raste die Kriegsfurie über das Land am Mittel- und Oberrhein. Inzwischen regierte in Heidelberg ein neuer Kurfürst, diesmal aus der katholischen Linie Pfalz-Neuburg. Auf dem Hunsrück, in den reformierten Territorien, entstanden allenthalben neuerrichtete katholische Pfarreien. Durch die in die Kurlande eingefallenen französischen Besetzer fand die kurpfälzische katholische Kirchenpolitik beachtliche Unterstützung, die nicht wenig zur Verschärfung der Differenzen zwischen katholischen und evangelischen Gemeinden beitrug. Aus allen Teilen Deutschlands, besonders aber aus Luxemburg, der Eifel, von der Mosel, aus Bayern und sogar aus Tirol, siedelten sich katholische Bürger auf dem Hunsrück an. Aus den katholisch gebliebenen Tälern von Rhein und Mosel kamen fromme und einfache Mönche des Bettelordens und übernahmen den Gottesdienst. Die Klosterniederlassung in Simmern ist eine Gründung der Karmeliter aus Boppard. Nach Kirchberg und Sohren kamen Karmeliter aus den Niederlassungen in Beilstein und Kreuznach. Die Wallfahrtskirche Mariä Himmelfahrt in Spabrücken mit dem Gnadenbild im Hochaltar, einer thronenden Muttergottes aus mittelrheinischer Künstlerschule, besetzten Franziskaner aus Kreuznach und bauten ein Kloster, das bald der Mittelpunkt für das kirchliche Leben in der ganzen Soongegend wurde. Die Rekatholisierung belebte freilich auch die Bautätigkeit. In vielen Orten wurde neben der bereits bestehenden evangelischen Kirche eine neue katholische errichtet. In Simmern erbaute der kurpfälzische Hofbaumeister Johann Jakob Rischer die St.-Josefs-Kirche, ein kirchliches barockes Bauwerk, das kunstgeschichtlich mit zu den bedeutendsten dieser Epoche zählt. Hervorzuheben sind die kühn komponierten Deckengemälde des Mannheimer Hofmalers Francesco Bernhardini. »Im Schiff ist eine Krippenszene zwischen die massigen und wuchtigen Renaissance-Säulen eines Ruinenpalastes hineingezaubert. Die glückliche Perspektive des alten Gemäuers hebt und dehnt die Decke. Die lieblich zarten und leichten Gestalten der Krippengruppe heben sich von der Wucht der Umgebung wundersam ab. Und zu den Häupten des göttlichen Kindes huscht über die morschen Bretter, die als Dach die Marmorsäulen verbinden, eine feiste Ratte. In der Mitte des Schiffes schaut man in malerischer Gruppierung die Vermählung Mariens dargestellt« (nach Schüller). Als gestaltende Künstler betätigten sich oft die Klosterbrüder selbst. Wir nennen hier den Pater Andreas Corsinus aus Beilstein und einen Holzschnitzkünstler, der uns namentlich nicht bekannt ist und in der Kunstgeschichte als »der Bernkasteler Bildhauer« bezeichnet wird. Gleichzeitig mit der Tätigkeit der kunstliebenden Karmelitermönche wuchs in aller Stille in den kleinen Dorfkirchen ein bescheidener Stil, der unter dem Namen »Protestantischer Bauernbarock« bekannt wurde. Handwerkerfamilien, ihre Namen sind heute weitgehend unbekannt, trugen und prägten ihn. Nur über einen Maler wissen wir Näheres, über Johann Georg Engisch aus Kirn (1668–1742). Er war der Sohn eines aus Graubünden zugewanderten Maurers, der zeitweilig in Diensten des Herzogs Christian III. von Bischweiler-Birkenfeld stand und wohl auch in denen des Rheingrafen. Auffallend oft finden wir seine Malereien in der Wild- und Rheingrafschaft und in der Hintergrafschaft Sponheim, also ausschließlich in lutherischen Herrschaftsgebieten. Waren in den streng reformierten Gemeinden, Calvin folgend, alle Bildwerke aus dem kirchlichen Bereich verbannt oder unter Tünche versteckt worden, so zeigte Luther eine gemäßigtere Haltung: »Wollt Gott ich kund die Herren und Reichen dahin bereden, daß sie die ganze Bibel inwendig und auswendig an den Häusern für jedermanns Auge malen ließen.« Unsere lutherische Kunstlandschaft reicht von Mülheim und Veldenz an der Mosel quer über den mittleren Hunsrück bis nach Löllbach an den Glan. In der Mülheimer Pfarrkirche lassen die Darstellungen an der Empore die Hand von zwei verschiedenen Malern erkennen. Sie entstammen vielleicht der

gleichen Werkstatt wie die Malereien der Tafelbilder in Dill. Hier trägt das Deckengemälde »Die Verklärung Christi« den Namen J. G. Engisch. In Raversbeuren und Lötzbeuren sind die Brüstungsfelder der Dorfkirchen renoviert. Sie zeigen wie überall Darstellungen aus dem Alten und Neuen Testament, aber offenbar so angeordnet, daß die alttestamentliche Weisung einer neutestamentlichen Erfüllung gegenübersteht. Die Szenen richten sich nach der 1630 herausgekommenen Bilderbibel von Matthäus Merian d. Ä. Die Maler in unseren Dorfkirchen wollten kein Kunstwerk schaffen, die Bilder sollten eine gemalte Predigt sein. Solche gemalten Predigten sind in der Kapelle in Starkenburg, in den evangelischen Kirchen zu Hirschfeld, Enkirch, Herrstein und Herren-Sulzbach zu bewundern.

Bei der bisherigen Betrachtung der Landschaft kamen schon mehrfach Dichter zu Wort. Die Reihe derer, die in dieser Landschaft heimisch waren und sie mit ihrer schöpferischen Sprachbegabung schilderten, einschließlich der durch diese Landschaft geprägten Menschen, läßt sich fortsetzen. Der bedeutendste Dichter, den der Hunsrück hervorbrachte, ist wohl Jakob Kneip (1881–1958). Ein Gedicht, das er mit der Überschrift »Dies Land« überschreibt, gibt Zeugnis davon, wie er seine Heimat zwischen den Flüssen sieht:

»Dies Land der Lieder, die von Liebe singen,
Das Land der Quellen, die aus Wäldern dringen.
Das Land der heiligen Ströme, die hier fließen,
O, wie sie sich in unser Herz ergießen! –
Und Wein und Korn und tausend edle Früchte
Schenkt uns dies Land in Gottes mildem Lichte. –
An seinen Hängen, die in Sonne liegen:
Wie will sich unser Herz in Wonne wiegen!
In seinen Feldern, seinen Wiesenbuchten,
In seinen Wäldern mit den dunklen Schluchten,
Auf seinen Hügeln, wo die Lerchen steigen –
O, wem gehört dies Land wie uns zu eigen!
Dies Land, das wir in unsrer Seele tragen,
Dies Land, das unsrer Seele Atem gibt –
Wie haben wir dies Land geliebt:

Dies Land, dies Gottesland,
In allen unsren Tagen.«

Der in Traben-Trarbach geborene Werner Beumelburg (1899–1963) schildert in seinem Roman »Mont royal«, wie dieses bedeutendste Festungswerk an der Mosel unter französischer Vorherrschaft zur Zeit Ludwig XIV. entstand. Der Held des Romans ist am Ahringsbach zu Hause, der, vom Hunsrück kommend, bei Enkirch in die Mosel mündet. In einem »Seitental der Mosel in einer Mühle«, genau in Breitwies im Kreis Trier, wurde Stefan Andres (1906–1970) geboren. In seiner Erzählung »Der Knabe im Brunnen« setzt er seine eigene Kindheitsgeschichte in eine allgemeingültige Dichtung um. Ein Dichter besonderer Prägung ist Peter Joseph Rottmann (1799–1881), ein hervorragender Könner der mundartlichen Dichtung. Albert Bauer (1890–1960) beschäftigte sich mit bäuerlichen Problemen. Er war selbst Bauer und verstand am besten seine Landsleute. Seine wichtigsten Romane sind »Hunsrückbauern«, »Volkert der Schöffe« und »Hagen«. Fritz Stoffel (1864–1918) gehörte zu der Dichtergruppe, die unter dem Namen »Rheinische Heimatkunst« bekannt wurde. Auch er wählte seine Hauptmotive aus der Bauernwelt. Eine geborene Hunsrückerin (Kirchberg) war Nanny Lambrecht (1868 bis 1941). Ihr Hunsrückroman »Die Armsünderin« erregte großes Aufsehen. In ihm schildert sie den sozialen Konflikt einer armen Kesselflickerstochter, die am großbäuerlichen Ehrenkodex zugrunde geht. Karl Windhäuser ist noch zu nennen, der mit einer ausgewogenen Sprache und tiefer Empfindsamkeit als Erzähler wie als Lyriker vielfältig hervorgetreten ist.

Im Waldrevier des Jägers aus Kurpfalz

Der Wald

Seit der letzten Eiszeit ist die ehemalige Steppenlandschaft von Wald bedeckt, und trotz Besiedlung, Rodung und Vernichtung durch Weidenutzung, Köhlerei, Brandwirtschaft und Reparationshieben als Folge von Kriegen sind heute noch zwei Fünftel des Berglandes mit Hochwald und Niederwald bewachsen. Soon-, Idar- und Hochwald bilden den Kern der von Fichten beherrschten Nadelwälder und lichten Laubwälder. Kiefern, Lärchen und kleine Weißtannenbestände spielen eine geringe Rolle. Der Laubwald wird von der Rotbuche geprägt, dazu kommt die Eiche, die im 19. Jahrhundert das Waldbild bestimmte und heute auf einen Bruchteil zurückgegangen ist. Eine neue Waldgesinnung bei den Gemeinden läßt wieder Flächen mit größerem Eichenbestand entstehen. Man erwartet sich davon viele wirtschaftliche und ökologische Vorteile, die aber erst Urenkelgenerationen zugute kommen werden. In den Niederwäldern stehen Eichen, Hainbuchen und Birken, oft kommen auch Feldahorn, Eberesche, Elsbeere und Bergahorn vor. Wald, Wildnis, Holz, Gehölz, Dickicht, Busch, Gebüsch, Struth und Forst sind Namen für mehr oder weniger große und kleine, starke und schwache Baumbestände, doch hat jedes Wort für sich eine ganz spezifische Bedeutung. Man findet sie alle hier im Gebiet. Forst allerdings, vom lateinischen *foris* (außen, außerhalb der allgemeinen Benutzung liegend), das war der Königswald, der Bannwald, den Herren und ihrem Waidwerk vorbehalten. Dazu gehörten im Hunsrück der Hochwald, der Hoheitswald der Kurfürsten von Trier und der Verbotene Soonwald. Die übrigen geringen Weichholzbestände und einiges Bauholz blieben den Bauern zur Nutzung. Für den Hunsrück besaß der Wald einen hohen Stellenwert, war er doch für die Bewohner seit der Jungsteinzeit die Lebensgrundlage schlechthin. Er lieferte Bau- und Brennholz, gab dem Vieh Weide und speicherte den Menschen das Trinkwasser. Er hat heute andere Funktionen, insbesondere volkswirtschaftliche und ökologische. Wald verhindert Bodenerosion, regelt das Kleinklima und schützt vor Lärm. Er liefert nicht mehr ausschließlich das Brennmaterial, nirgends mehr qualmen die Meiler der Köhler und die

Feuer der Pottaschbrenner, die dem ehemals weitverbreiteten Buchenwald ungeheuren Schaden zufügten. Verschwunden sind die großen Rindvieh- und Schweineherden, die sich am Laub, an den jungen Sträuchern, an Bucheckern und Eicheln labten und mästeten. Kein Bauer holt mehr Futterlaub und Streusel – alles Ursachen, die den Hochwald in minderwertigen Niederwald verwandelten und mit Ginster und Brombeeren bewachsenes Wild- und Heideland entstehen ließen. Geblieben ist der Wald als Speicher für die Trinkwasserversorgung der waldnahen Gemeinden und neuerdings durch Pumpstationen und Leitungssysteme auch für entfernt liegende Dörfer, wo das Wasser knapp geworden ist. Die Fülle der Waldnamen, mit dem Wort *born* zusammengesetzt, weist nicht mehr unbedingt auf Wasservorkommen hin. Tiefbohrungen sind an die Stelle von Schürfungen getreten, durch die man früher das Wasser an den Quellhorizonten gewann, nämlich dort, wo sich der Taunusquarzit der Höhenzüge auf den devonischen Schiefer schiebt. Nach verlorenen Kriegen mußten die Hunsrückwälder jedesmal für Reparationszahlungen herhalten. Schon die große Armee Napoleons holte sich ihren Bedarf an Holzkohle zur Eisenverhüttung und Waffenherstellung aus den Hunsrückwäldern, und auch die Bevölkerung nutzte diese Notzeiten zügellos aus, um ihren Holzbedarf zu befriedigen. Schließlich versuchten Gemeinden, die durch Kriegskontributionen entstandene Schuldenlast durch Holzverkauf abzutragen. Nach zwei verlorenen Weltkriegen wurden Tausende von Festmetern durch die jeweilige Besatzungsmacht und ihre Verbündeten geschlagen und abtransportiert. Zurück blieben riesige Kahlschläge, »Franzosenschläge« genannt. Zur Behebung dieser Schäden eignete sich kein Baum besser als die schnellwachsende Fichte. Die Bauern, in Angst und Sorge, ihre Waldweide zu verlieren, setzten diesem »Preußenbaum« starken Widerstand entgegen. Eine straffe Forstorganisation, Bestandsaufnahme, Hauungs- und Kulturpläne, von Forstbeamten streng überwacht, sollten der Waldver-

wüstung Einhalt gebieten. In den Staatswaldungen wurden die Nutzungsrechte der Gemeinden durch Geld abgelöst, in den Gemeindewäldern die Nebennutzungen streng verboten. Industrialisierung, Kohle als Brennmaterial, Steine als Baustoff, Förderung der Landwirtschaft durch künstliche Düngung und verbesserte Dreifelderwirtschaft änderten die Funktion des Waldes zum Produktions- und Wirtschaftswald. Sein heutiger Zustand ist somit das Ergebnis einer langen wechselvollen Geschichte von Rodung, Wiederbewaldung, Siedlungs- und Wüstungsvorgängen.
Der Wald ist hauptsächlich im südlichen und südwestlichen Hunsrück auf Eruptivgestein und auf den für die Landwirtschaft ungeeigneten sauren Quarzitböden verbreitet. Wenig fruchtbar und mit Wald bestanden sind auch die im nördlichen Hunsrück vorkommenden Koblenzschichten und die Steilhänge der Bachtäler. Der Wald, manchmal geopfert zur Finanzierung notwendiger, aber auch ehrgeiziger Projekte – Rathäuser, Schulen, Schwimmbäder, Kanalisation, Gemeinde- und Sporthallen –, ist in seinem Ertrag weniger rentabel geworden. Konnte man ehedem waldbesitzende Gemeinden mit reichen Gemeinden gleichsetzen, so belasten fallende Holzpreise, hohe Lohn- und Personalkosten und das Überangebot ausländischer Hölzer die Etats der Gemeinden mit roten Zahlen. Wald aber sollte nicht nur unter wirtschaftlichen Gesichtspunkten gesehen werden. Wald bedeutet Naturnähe, bedeutet grüne Lunge und Erholungsraum für Tausende von Menschen aus Großstädten und Ballungsräumen an Rhein, Main und Saar. Darum kommen sie an Wochenenden und in Ferienzeiten gerne in die nahegelegenen Wälder des Hunsrücks.

Die Jagd

»Ein Jäger aus Kurpfalz, der reitet durch den grünen Wald und schießt das Wild daher, gleich wie es ihm gefällt.« Dieses Volks- und Jägerlied, in ganz Deutschland bekannt, Traditionsmarsch ehemaliger Gardejäger in Berlin, in zahlreichen Variationen von Männer- und Frauenchören gesungen, hat seine Heimat im waldreichen Hunsrück. Hier, im Großen Soonwald, steht sogar ein Denkmal für diesen Jäger aus Kurpfalz, von seiner Kaiserlichen Majestät und Obersten Jagdherrn Wilhelm II. ein Jahr vor Ausbruch des Ersten Weltkrieges persönlich eingeweiht. Die Person des Jägers ist allerdings umstritten, ob es der Kurfürst der Pfalz selbst war oder einer seiner reitenden Jäger. Dieses Lied vom Wald und von der Jagd dokumentiert, daß die Jagd im Hunsrück eine lange Tradition hat. Bären, Luchse und Wölfe, Auer- und Birkwild gibt es jedoch in den Hunsrückwäldern schon lange nicht mehr, aber der Rothirsch, »der König des Waldes«, Rehe und Hasen und mitunter ganze Rotten von Schwarzkitteln lassen das Waidmannsherz höher schlagen. Was einmal Herrenrecht war und auch weitgehend dem Lebensunterhalt diente, ist heute teures und aufwendiges Hobby geworden, von vielen erstrebt, doch nur wenigen vergönnt. Das hohe und niedere Waidwerk muß von waldbesitzenden Gemeinden mit erheblichen Pachtpreisen erkauft werden. Nur der Staat gibt Prominenten aus Politik und Wirtschaft bei Staatsjagden Gelegenheit, »Böcke zu schießen«.

Schon Kaiser Ludwig der Fromme jagte im großen Vosagus, dem Wald zwischen Vogesen und Ardennen, zu dem damals der *silva sana*, der Soonwald, gehörte. Die Wildgrafen, Nachkommen der Nahegaugrafen, nicht so geheißen wegen ihres wilden Aussehens, vielmehr *comes silvaticus*, Waldgrafen also, verwalteten die ausgedehnten königlichen Wälder. Sponheimer Grafen aus einem hochadeligen Geschlecht, die ihr Gebiet mit einer Burgenreihe von der Nahe über den Hunsrück bis zur Mosel gesichert hatten, gingen ebenfalls dem Waidwerk nach. Einer von ihnen, Graf Walram, der den Sonntag und die Einsiedelei eines frommen Klausners nicht achtete, muß seitdem als »Wilder Jäger« mit seinem Gefolge durch die Lüfte jagen, ruhelos und rastlos, Schrecken für alle, die an Geister und Unholde glauben. In dieser Zeit gehörte auch noch der Bär zum Jagdwild, und nicht von ungefähr zeigt der römische Mosaikfußboden im Bad Kreuznacher Heimatmuseum eine Kampfszene zwischen Bär und Hirsch. Simmerner Herzöge nutzten die ehemalige Reichsfeste Wildburg im Großen Soonwald als Aufenthalt, um mit der Jagd auf Rothirsche und Wildschweine den Speisezettel der Schloßküche zu bereichern. Fast unvorstellbar ist die Zahl der Menschen, die in ein solch herrschaftliches Hobby eingespannt waren, man weiß es aus den kurtrierischen Akten. Neben Hofjägern, Jagdkapitänen gab es Büchsenmacher und Büchsenspanner, Jagdjunker und Jagdlakaien, Stallmeister für die Jagdpferde, Falkenträger und Fasanenmeister, Feldhühner- und Wachtelfänger, und bei den Parforcejagden hetzten Hofjagdhunde und Feldhühnerhunde das Wild durch Wald und Flur. Auf den zahlreichen Wacholderheiden lauerten Vogelfänger auf die Wacholderdrossel, den Krammetsvogel, um ihn mit anderen Lockvögeln, Schlingen und Netzen zu fangen. Hängelweise wanderte dieser Gaumenkitzel in die Küchen von Fürsten und Klöstern. Doch lebte in den Wäldern mancherlei Schad- und Raubwild. Mit Schrecken erlebten die Bauern, wie die Wolfsrudel ihre Schafe und das Weidevieh rissen. Während des Dreißigjährigen Krieges war die Plage so groß, daß der Gouverneur der spanischen Besatzungsmacht die Bauern in den kurpfälzischen Dörfern aufbot, um der Wolfsplage Herr zu werden. Ein Augustinermönch klagte, »daß es zu der Zeit mehr Wölfe und ander Untiere gäbe als Untertanen auf dem platten Land«. Mit Wolfsgruben, Wolfseisen und Treibjagden ging die preußische Verwaltung gleich nach der Napoleonischen Herrschaft gegen die Wolfsplage vor. Mit Abschußprämien, die das halbe Monatsgehalt eines Försters ausmachten, versuchte man, starke Anreize zu geben. Der letzte Wolf im Hunsrück wurde 1852 erlegt. Flur- und Waldnamen wie Wolfsborn, Wolfsacker und Wolfseiche erinnern an dieses Raubwild.

Räuberbanden und Wilddiebe stellten dem Wild nach, und die ehemals in den Wäldern lebenden Köhler und

Pottaschbrenner dezimierten nicht nur die Waldbestände, sondern ließen sich auch Wildbraten gut schmecken. Nach der Jahrhundertwende kamen Fabrikanten, Gutsbesitzer und Handelsherren, ein neuer Geldadel, und brachten den Gemeinden willkommene Jagdpachten. Nach dem Zweiten Weltkrieg nahm sich die Besatzungsmacht das Jagdrecht und lud europäische Herrscher und hochgestellte Persönlichkeiten zum Jagen in die Hunsrückwälder ein. Damals galt der Liedspruch: »Soweit die braune Heide reicht, gehört das Jagen mir«, oder auch »Ich schieß das Wild daher, gleich wie es mir gefällt«.

Erneuter Szenenwechsel. 1954 bat der damalige Bundespräsident Theodor Heuss erstmalig die Bonner Diplomaten zur Staatsjagd in den Soonwald, das ehemalige Revier des Jägers aus Kurpfalz. Heute ist es den Gästen der Landesregierung von Rheinland-Pfalz vorbehalten, und wieder tönt das Jagdhorn nach der Brunftzeit, wenn das dumpfe Röhren der Hirsche verklungen ist, wieder werden »Strecken verblasen« und hört man beim »Schüsseltreiben« Jägerlatein in klassischer Form. Was aber Jagdbegeisterung vermag – und das ist kein Latein – bewies der alte Hegemeister Bollinger vom Revier Alteburg, als er, 100 Jahre alt, noch einen kapitalen Kronenzehner erlegte.

Die Jagd, urmenschliches Verlangen und Tun, ist in unserer Zeit strengen Gesetzen unterworfen. Eine Jagdbehörde arbeitet Abschußpläne aus, Rotwildhegeringe sorgen für deren Einhaltung, damit Bestand und Qualität erhalten bleiben. Die Jägerprüfung, der Erwerb eines Jagdscheins und Jägerkleidung sind auch heute noch erstrebenswerte Attribute im sozialen Gefüge. Jährliche Trophäenschauen bestätigen mit Glanzstücken oder auch mit Abnormitäten waidmännisches Können und waidgerechtes Verhalten.

Industrie, Handel und Gewerbe

Große Fabrikanlagen mit rauchenden Schloten wird man in dem Land zwischen Rhein, Mosel und Nahe kaum finden. Die wenigen Schornsteine von Sägewerken, Möbel- und Chemiefabriken lassen sich an den Fingern abzählen. Nur zögernd geht die Industrieansiedlung im Höhengebiet voran. Wenn sich auch an den Randgebieten einiger zentraler Orte Industrien niedergelassen haben, bestimmen sie nicht das Gesamtbild der Landschaft, erscheinen mit langgestreckten und kunststoffgedeckten Dächern eher als Fremdkörper. Dabei hat es im 18. und im 19. Jahrhundert im Soon-, Idar- und Hochwald eine recht ansehnliche Eisenverhüttung mit Hochöfen und Schmelzen gegeben. Die Ortsnamen Rheinböllerhütte, Stromberger Neuhütte, Gräfenbacherhütte, Asbacherhütte und Zinsershütten erinnern daran. An den Bächen klopften Hammerwerke, und Stauweiher lieferten Wasserkraft zum Antrieb von Windrädern, die die Glut in den Schmelzöfen anfachten. Über 300 nachgewiesene Eisenerzabbaustellen gab es, und das führte zu dem Spruch: »Der Hunsrück ist reich an armen Erzen«, womit zwar auf die Menge der Vorkommen aber gleichzeitig auf den geringen Eisengehalt hingewiesen wurde. Eben diese mindere Qualität sowie die Einfuhr ausländischer Erze und die ungeheure Waldverwüstung durch das Brennen von Holzkohle für die Hochöfen machten der Eisenindustrie ein Ende. Sie verlagerte sich zu den inzwischen entdeckten Steinkohlevorkommen im Saargebiet und an der Ruhr. Auch bedeutsame Hüttenherren verließen den Hunsrück, stiegen im nahen Saarland zu Großindustriellen empor und wurden in den Adelsstand erhoben. Ein Manganeisenbergwerk bei Waldalgesheim rettete sich als Bergwerksmuseum bis in die Gegenwart, mußte aber auch die Pforten schließen. Ehemaligen Kupferbergbau im Nahegebiet veranschaulicht ein Besucherbergwerk bei Fischbach, und in Niederhausen erinnert die Weinlage »Kupfergrube« an diese Industrie. In den Gebäuden der alten Rheinböllerhütte hat der größte Arbeitgeber für diese Region wieder Schmelzöfen in Betrieb gesetzt, doch in ihrer Glut schmilzt nicht mehr das Erz, sondern Roheisen für die in vielen Industrien benötigten Gußteile. Ab und zu leitet man das flüssige Metall in eine der alten Gießformen, mit denen man früher Takenplatten und kunstvolle gußeiserne Öfen herstellte. In einem kleinen Ort am Idarwald, in Krummenau, entstehen in einer Zinngießerei glänzende Zinngeschirre, die das Herz von Liebhabern höher schlagen lassen.

Es ist natürlich, daß in einem Waldland Holzeinschlag und Holzverarbeitung vielen Menschen und insbesondere Handwerkern Verdienst und Lebensunterhalt gaben. Zimmerleute richteten das Bauholz, Schreiner fertigten Türen, Fenster und kunstvolle Möbel, Wagner bauten Ackergeräte, und Küfer schlugen Reifen um Fässer und Bütten, bis Maschinen und industrielle Fertigungsmethoden viele dieser Kleinbetriebe verschwinden ließen. Mit dem Bau der Eisenbahnlinien lösten Dampfsägewerke entlang der Schienenstränge die von Wasser betriebenen Sägemühlen ab, und aus den Sägewerken entwickelten sich im Laufe der Jahre große Möbelfabriken in Sohren, Hermeskeil und Simmern. Weitere holzverarbeitende Betriebe gibt es in Kirchberg, Ellern, Morbach, Masterhausen, Blankenrath, Strimmig und Gemünden. Zu deren Programm gehören Sperrholz-, Span- und Faserplatten, Holzwolle, Särge, Tische und Stühle, Türen und Fenster.

Verschiedenes Gestein, der dritte Rohstoff neben Erzen und Holz, war in der Vergangenheit und ist auch noch heute ein bedeutsamer Wirtschaftsfaktor. Kaum zu zählen sind die Schiefergruben, deren Schutthalden noch überall im Gelände anzutreffen sind. Die meisten sind stillgelegt, und nur noch im Hahnenbachtal hört man den Klang der Spaltaxt. Ein Besucherbergwerk bei Bundenbach veranschaulicht deutlich die Schwerstarbeit in dunklen, feuchten Stollen unter der Erde. Reinste Kunstwerke haben die Dachdecker mit dem Schiefer vollbracht, denn außer den Dächern erhielten auch Hauswände Schieferbeschlag in allerlei geometrischen Mustern. Auf Giebeln sieht man stolze Reichsadler oder die Initialen der Hausbesitzer. Inzwischen hat sich der Schiefer so verteuert, daß der Nor-malbürger sich ihn für sein Eigenheim kaum leisten kann und zum Kunstschiefer greift, der zwar dem Naturschiefer täuschend nachgeahmt ist, über dessen Haltbarkeit und Lebensdauer aber noch keine Erfahrungswerte vorliegen.

Das eisenharte Quarzitgestein der Bergkämme war schon immer ein begehrtes Material für Hausfundamente, für Wege-, Straßen- und Brückenbau. Gewaltige Steinbrechanlagen in den Brüchen von Soon- und Idarwald zerhacken und zerkleinern die abgesprengten Felsbrocken zu Grob- und Kleinschlag, zu Kies, Split und Sand. Die ausgedehnten Basaltsteinbrüche bei Kirn liefern Mauer- und Pflastersteine, mit Teer vermischten Kies und Sand für den Straßenbau. Ton- und Lettenvorkommen versorgen Ziegelwerke an der Nahe und bei Birkenfeld mit Rohmaterial und haben im Soonwald Töpfereien entstehen lassen.

Ein weiteres, aus einem Korallenriff des subtropischen Devonmeers erwachsenes Gestein ist der Stromberger Kalk. Er war erstes Düngemittel für die kalkarmen Hunsrücker Böden, dann holte man ihn als Bindemittel zum Mauern beim Hausbau, schließlich lieferte dieser Kalk in geschliffener Form die ersten Marmorbadewannen für die Heilbäder in Bad Kreuznach und Bad Münster am Stein. Heute geht dieser begehrte Rohstoff größtenteils in die chemische Industrie.

Die Erschließung des Hunsrücks durch die Eisenbahn, das Freiwerden von Arbeitskräften in der Landwirtschaft, preiswerter Grund und Boden, aber auch das Bestreben einzelner Orte, durch Industrieansiedlung verbesserte Existenzmöglichkeiten zu schaffen, ließen an vielen Stellen neue Gewerbe und Fertigungsbetriebe entstehen: Fabrikation von Maschinen, Metallteilen und Elektromaterial, Herstellung von Fertighäusern, Glasbausteinen und Kunststoff, Fertigung von Pelzen, Strickwaren und Autoschonbezügen, Drahtverarbeitung und Bau von Musikinstrumenten, chemische, optische und Lederindustrie im Nahegebiet, dazu Getränkefabrikation und Brauereien an Rhein, Mosel und Nahe. Fast die gesamte Verwertung und Verarbeitung von Milch- und Fleischprodukten besorgen die Hochwald-Nahrungsmittelwerke für den westlichen Hunsrück und die Hunsrücker Milchwerke in Kastellaun für den östlichen Hunsrück. Den Getreideabsatz und die Beschaffung von Futter- und Düngemitteln haben große Genossenschaften übernommen. In den kleinen Städtchen und ehemaligen Marktorten entstehen Einkaufszentren mit Supermärkten, und Grund und Boden für weitere Industrien werden bereitgestellt. Ein Ende dieser Entwicklung ist noch nicht abzusehen.

»Schinderhannesland« – Freizeit – Verkehr

Mit Rhein, Wein, Loreley, Burgenromantik und »Moselfahrt aus Liebeskummer« locken die den Hunsrück begrenzenden Flußtäler zu einem Besuch. Dabei gehören sie seit Jahrzehnten zu den ausgesprochenen Fremdenverkehrsgebieten. Anders verhält es sich mit dem Hunsrück, der sich anschickt, in diesen Kreis aufgenommen zu werden. »Natur-Oase im Schnittpunkt dichtbesiedelter Ballungsräume, Vorgarten des Saarlandes und Naherholungsraum des Rhein-Main-Gebietes«, so kennzeichnet ihn der Verfasser eines Reiseführers, und ein anderer Schriftsteller unserer Tage meint, »alle Herrlichkeiten dieser Welt« gäbe es hier zu finden. Darum wirbt man dort mit Naturparadies, Waldeinsamkeit, reiner Luft und dem »Jäger aus Kurpfalz« um die Gunst der Gäste. Danach aber kommt gleich der Schinderhannes als Werbemagnet. Johannes Bückler, so hieß er mit seinem bürgerlichen Namen, Sohn eines Schinders oder Abdeckers, und damit Angehöriger eines »unehrlichen Berufes«, Anführer einer Räuberbande in den wirren Zeiten Napoleonischer Herrschaft auf dem linken Rheinufer, endete bereits im jugendlichen Alter von 20 Jahren mit einigen seiner Spießgesellen auf der Guillotine in Mainz. Diebstähle, Raubüberfälle und Morde gehörten zum Geschäft dieser Bande, und darum erscheint es kaum verständlich, daß eine Flut von Literatur, Filmen und Schauspielen diesen Räuberhauptmann als Sozialhelden, Helfer der Armen, und als Nationalhelden, Gegenspieler der französischen Besatzung, verklärt. Vielleicht aber lockt gerade das von ihm betriebene ungebundene Räuberleben zu romantischen Planwagenfahrten durch das »Land des Schinderhannes« (Birkenfeld und Simmern), läßt »Schinderhannesbrot« und den über einem Lagerfeuer gedrehten Spießbraten besonders gut schmecken und jagt den Besuchern im Museum Simmern leise Schauer über den Rücken, wenn sie vor den Abbildern und dem kugeldurchlöcherten und sturmzerfetzten Hut des Räubers stehen.

Im Eiltempo holt der Hunsrück nach, was klassische Reise- und Urlaubsländer in Jahrzehnten aufgebaut haben: markierte Wanderwege, Wanderparkplätze, Hallen- und beheizte Freibäder, Besucherbergwerke, Heimat- und Landschaftsmuseen in Boppard, St. Goar, Simmern, Traben-Trarbach, Strimmig, Idar-Oberstein und Bad Kreuznach, ein Freilichtmuseum in Sobernheim, geologische und Waldlehrpfade, Wildfreigehege, Weinwanderwege, Weinproben, Winzerfeste mit Musik und Folklore in den Flußtälern. Die Sehnsucht von Menschen und die praktischen Überlegungen von Familien mit Kindern, Urlaub und Freizeit nicht gebunden an Essenszeiten und Hausordnungen von Hotels und Gaststätten zu verbringen, ließen Ferienparks mit Hunderten von Ferienhäusern entstehen. Im Hochwaldgebiet locken sie mit Hallen- und Freibädern, Fußball- und Volleyballplätzen, mit Tennis- und Minigolfanlagen, mit Wanderwegen und Trimm-dich-Pfaden, mit Kinderspielplätzen und landschaftlich sehr schön gelegenen Stauseen zur Ausübung von Wassersport. Skipisten, Rodelbahnen und Loipen am Erbeskopf im Hochwald, am Idarkopf und am Schanzerkopf im Soonwald ergänzen im Winter das Freizeitangebot. Daß mit solchen Einrichtungen aber auch in eine bisher unberührte Natur eingegriffen wurde, kann nicht bestritten werden, darum sollte man die Grenzen der Belastbarkeit einer Landschaft mit touristischen Attraktionen erkennen, damit nicht das Gegenteil vom Geplanten erreicht wird.

Zwei Wildfreigehege bei Rheinböllen mit dem Volkenbacher Weiher und auf der Wildenburghöhe beherbergen Rotwild, flinke Rehe, borstige Wildschweine mit Frischlingen, Damm-, Muffel- und Gamswild, furchterregende Wisente, Steinböcke mit Krummhörnern, Wasservögel auf Teichen und Seen und allerlei Kleingetier. Fremdenverkehrsverbände, Kreisverwaltungen, Städte und Verbandsgemeinden werben mit bunten Prospekten, Wanderkarten und Besucherprogrammen um die Gunst der Gäste. Die kleinen Dorfgasthäuser haben sich sehr gemausert sowohl in der Ausstattung als auch im Angebot, bringen deftige einheimische Spezialitäten oder überraschen mit internationaler Küche. Zahlreich sind die Möglichkeiten für Ferien auf dem Bauernhof, und den Campingfreunden stehen landschaftlich reizvolle Plätze zur Verfügung. Erst spät erhielt der Hunsrück seine erste Eisenbahnverbindung mit der Nahestrecke. Als 1889 der erste Zug, von Langenlonsheim kommend, in der Hunsrückmetropole Simmern einlief, verkündete die Presse den »Anbruch einer neuen Zeit«. In den folgenden Jahrzehnten wurde die Bahnlinie über Kirchberg, Morbach, Hermeskeil nach Trier und ins Saargebiet geführt. Nach Norden baute man eine Strecke über Kastellaun nach Buchholz und von dort als Zahnradbahn, einst als schönste Bergstrecke Deutschlands gepriesen, über hohe Viadukte und durch mehrere Tunnels nach Boppard an den Rhein. Alle Strecken bis auf das letzte Teilstück zwischen Boppard und Emmelshausen sind für den Personenverkehr stillgelegt. Keine hundert Jahre sind vergangen, und der Traum von der Eisenbahn, für den die Bewohner des Höhengebietes kämpften und Opfer brachten, ist zerronnen. Leerstehende Bahnhofsgebäude an den Strecken und hie und da der Name einer Bahnhofsstraße erinnern an dieses Verkehrsmittel. Busse der Bahn, der Post und von Privatunternehmern haben den Personenverkehr übernommen. Sie fahren auch die entlegensten Dörfer an und transportieren Schüler, Reisende und Touristen. Insgesamt aber hat durch diese Entwicklung die Zahl der privaten Fahrzeuge überdurchschnittlich zugenommen.

Trug schon die von Koblenz zum Saargebiet führende Hunsrückhöhenstraße, zuerst als militärische Aufmarschstraße ausgebaut, sehr zur Erschließung des Höhengebietes in Ost-West-Richtung bei, ist es heute die linksrheinische Autobahn A 61, die, von Krefeld und Köln kommend, den Hunsrück von Norden nach Süden durchquert und die Verbindung zum Neckarraum schafft. Aus der Eifel führt sie bei Winningen auf einer schwindelnd hohen Talbrücke über die Mosel, windet sich in einem großen Bogen zu den Hunsrückhöhen, übersteigt zwischen Soon- und Bingerwald die Mittelgebirgsschwelle und senkt sich, vorbei an Rebhängen und roten Ziegeldächern, ins Tal der Nahe. Sie ist für Holländer und Belgier die Hauptverbindung nach Süden geworden; man sieht es in Ferienzeiten, wenn die gelben Nummernschilder und die roten Zahlen dieser beiden Länder die Bahn beherrschen. Sie bringt die Campingfreunde aus den Beneluxstaaten schnell zur Mosel, zum Rhein und auf den Hunsrück, von dem nicht zu Unrecht gesagt wird, er habe für den Fremdenverkehr innerhalb der Länder der Europäischen Gemeinschaft eine Art von Mittelpunktsfunktion zu erfüllen.

Zwar durchbricht zuweilen ein Düsenjäger die Schallmauer mit ohrenbetäubendem Knall, übertönt das Kreischen einer Motorsäge das Rauschen von Buchen, Eichen und Fichten und stört das Tuckern eines Traktors die Feldeinsamkeit, dagegen wird die Stille der Täler nur von dem Plätschern eines Baches, vom Muhen der Kühe oder dem Wiehern eines Pferdes unterbrochen. Auf den Waldschneisen hört man das Hämmern des Spechtes, das heisere Krächzen eines Eichelhähers, und auf Waldwiesen erlebt man den Anblick friedlich äsender Rehe und Hirsche. Stundenlang wandert man unter schattigen Bäumen, ohne einem Menschen zu begegnen. Noch liegen weite Teile des Hunsrücks in einem Dornröschenschlaf. Sollte man ihn dazu nicht beglückwünschen?

Die Hunsrückhochfläche

Wie ein spitzes Dreieck ist die Hunsrückhochfläche den Kammzügen von Soonwald, Idarwald und Hochwald vorgelagert. Im Nordosten erreicht sie die Randzone am Rhein, einen verhältnismäßig schmalen von kleineren Bächen zerriedelten, nicht mehr als 7 km breiten Streifen. Dagegen greift die Moselrandzone im Nordwesten mit ihrem bis zu 15 km breiten Übergangsraum tiefer in die Hochfläche ein. Der Charakter dieser Landschaft erschließt sich einem am besten von den Aussichtspunkten des Soonwalds, etwa vom Teufelsfels im Lützelsoon (568 m), der Alteburg (621 m) oder dem Koppenstein (562 m) im Großen Soon. Großflächig breitet sie sich aus, ein Land mit weiten Horizonten. Die Siedlungen liegen hier dichter zusammen als im Hochwald. Auf tiefgründig verwittertem Boden wird eine intensive Landwirtschaft betrieben. Auch hier fehlt der Wald nicht. Er läßt heute noch so manches Dörflein als mittelalterliche Rodungsinsel erscheinen, oder er schiebt sich inselartig in die Ackerfluren und an die Berghänge. Eine geologische Kuriosität ist die Wasserscheide im östlichen Hunsrück. Sie fällt nicht zusammen mit den höchsten Erhebungen des Soonwalds, sie rückt weit in die tieferliegende Hochfläche bis nach Laudert, Kappel und Horbruch vor. Erst im westlichen Hunsrück, im Idar- und Hochwald

bilden die Kammzüge wieder weitgehend die Abdachungsscheiden.

Ein weites Geäst von feinen Wasserläufen hat die tiefen, reizvollen Täler der Hochfläche geschaffen und das Relief herausmodelliert. Die Bachtäler nach der Mosel, das Ehrbachtal mit der Klamm, das Baybachtal, Flaumbach- und Mörsdorfer Bachtal und das Altlayer Tal sind heute noch unberührte Landstriche von einmaliger Schönheit.

Der Geograph teilt die Hochfläche in kleine Räume ein: die Kastellauner-Büchenbeurener Hochfläche, die Simmerner und Kirchberger Mulde und die beiden entlang des Idar- und Hochwalds langgestreckten Bereiche Morbach und Hermeskeil.

Das Dorfbild der Hunsrückhochfläche wird geprägt durch das geschlossene Haufendorf. Einzelhöfe gab es auf dem Hunsrück nur selten, sieht man von den in den Bachtälern gelegenen Mühlen einmal ab. Heute sind im Zuge der Umlegungsverfahren neue Bauernhöfe am Rande der Dorfgemarkungen entstanden, mitten im eigenen Landbesitz. Die Dörfer liegen in Tälern, auf Anhöhen und an windgeschützten Hängen. In allen Dörfern verleihen die Dorfkirchen dem Siedlungsbild ihr ganz besonderes Gepräge. Der meist schlichte Bau erfuhr im Laufe der Jahrhunderte vielfache Veränderungen und Neuerungen. Die kunstgeschichtliche Reihenfolge etwa romanischer Turm, gotischer Chor und barockes Langhaus bildet keineswegs die Ausnahme. Der ursprüngliche Typ des Bauernhauses im Vorderen Hunsrück ist das Einheitshaus mit Wohnung, Stall und Scheune unter einem Dach. Der Giebel zeigt nach der Straßenseite. Mit der zunehmenden Bodenbewirtschaftung und dem damit verbundenen Raummangel erfolgte durch das »Abknicken« der Hausanlage zum Winkel der Übergang zum Gehöft. Im westlichen Hunsrück und im Hochwaldgebiet treffen wir das Einheitshaus, das mit der Traufseite zur Straße steht und dessen Wände häufig aus Schiefer- und Bruchsteinen bestehen. Die Scheunentore sind rundbogig. Das Schieferdach war bis in die Gegenwart ein charakteristisches Merkmal des Bauernhauses. Die Wände bestanden ursprünglich aus Eichenfachwerk, das mit Holzgeflecht und Lehm ausgefüllt war. Zum Schutz gegen Wind und Wetter konnte das Obergeschoß auch mit Schiefer beschlagen sein. Ein Wetterdach bzw. Vordach über der Türseite des unteren Geschosses zum Aufhängen landwirtschaftlicher Geräte verlieh dem alten Bauernhaus sein typisches Aussehen. Trotz vieler Neuerungen ist noch manches Alte an Tür und Giebel, in Haus und Hof erhalten.

Den Zugang zur Hunsrückhochfläche findet man heute, wo der Personenverkehr auf den Bahnlinien fast stillgelegt ist, am schnellsten über die Straßen. Sie führen über Anhöhen und durch Täler, durch Fichten- und Buchenwälder, durch Ackerfluren und Wiesenbreiten und erreichen im Innern des Vorderen Hunsrücks die Marktstädte Kastellaun, Simmern und Kirchberg.

Durch Kastellaun führt unmittelbar die B 327, die Hunsrückhöhenstraße. Die Stadt liegt in einer Talmulde am Oberlauf des Trimmbaches, rings von sanften Anhöhen umgeben, die im Schmuck herrlicher Wälder prangen. Jahrhundertelang, vor allem aber in der Preußenzeit, hatten die Kastellauner Vieh-, Frucht-, Flachs- und Viktualienmärkte einen ausge-

zeichneten Ruf. An den Markttagen herrschte in den Straßen, auf den Plätzen und in den Wirtshäusern reges Treiben. An solchen Tagen strömten die Bauersleute aus der ganzen Umgebung herbei, nicht nur, um ihr Vieh und ihre landwirtschaftlichen Erzeugnisse zu verkaufen, sondern auch um Gegenstände des täglichen Bedarfs wie Rechen, Gabeln, Spinnräder, Kleiderstoffe, Kochtöpfe und Körbe zu erwerben. Weitbekannte Märkte auf dem Hunsrück waren die von Bell, zu Roth auf dem Felde, zu Simmern, zu Kirchberg und an der Nunkirche. Die Frühzeit der Stadtgeschichte ist nicht restlos geklärt. Das 820 erwähnte Trigorium ist vielleicht der Hauptort des karolingischen Trechirgaus und die Vorläufersiedlung von Kastellaun. Zu Beginn des 14. Jahrhunderts war die Stadt kurze Zeit sponheimische Residenz. Unter den Gemeinsherren, den Herzögen von Pfalz-Simmern und Pfalz-Zweibrücken und den Markgrafen von Baden, wurde sie Amtsstadt. Ihre wirtschaftliche Entwicklung wurde 1688 jäh unterbrochen. Zu Beginn des Pfälzischen Erbfolgekriegs überfielen die Franzosen die Stadt. Der Chronist berichtet: »Kein Baum und kein Strauch war vor den Feinden verschont geblieben, alle Felder von den Hufen der Rosse zerstampft, die hohe Wacht und der Pfortenturm auf dem Schloß in die Luft gesprengt.« Am 17. September 1689 begann das eigentliche Zerstörungswerk. Der französische Oberst Gramont legte die Stadt in Asche, »ein ungeheures Feuermeer wogte rund um den Schloßberg«. Heute ist Kastellaun Einkaufszentrum, Garnisonstadt, Wirtschafts- und Verwaltungsmittelpunkt im nördlichen Vorderhunsrück, überragt von der Burgruine der Sponheimer und den beiden Stadtkirchen.

An der römischen Fernstraße Bingen–Trier, die sich mosel- und nahewärts gabelt und im Norden mit einem Ast nach Koblenz zieht, entfaltete sich im 13. Jahrhundert Simmern. Ihre mittelalterliche Entwicklung verdankt die Stadt den Pfalzgrafen bei Rhein. Unter ihnen wuchs sie zur Residenz empor. Es entstand ein Fürstenschloß, geschützt von einer starken Stadtbefestigung. Besondere Bedeutung hatte im 16. Jahrhundert Herzog Johann II. Er war als Vertreter des Statthalters beim Reichsregiment und als kaiserlicher Kammerrichter in Reichsgeschäften tätig. Er beschäftigte sich nicht nur mit mathematisch-naturwissenschaftlichen Problemen, sondern war auch ein leidenschaftlicher Geschichtsforscher. Er stand in engem Gedankenaustausch mit dem Kosmographen Sebastian Münster und beobachtete wachsam die reformatorischen Bestrebungen Franz von Sickingens und Ulrich von Huttens auf der Ebernburg bei Kreuznach. In seiner Residenzstadt Simmern richtete er eine Druckerei ein und verlegte vorbildliche mit Holzschnitten ausgestattete Werke. Einige von ihnen stammen sogar aus seiner Feder. Der Ruf der von ihm eingerichteten Bildhauerwerkstatt drang weit über den Hunsrück hinaus bis nach Süddeutschland. Das Vertrauensverhältnis zu seinen Bürgern kommt im Freiheitsbrief von 1555 zum Ausdruck: Er habe »bis dahero zu unserer Stadt Simmern und derjenigen Inwohner, Bürger und lieben Getreuen eine besondere Neigung, Liebe, Gnade und Gunst getragen«. Die Simmerner Bürger lebten vornehmlich vom Gewerbe und vom Handwerk. Die Zünfte der Rotgerber, der Hafner, der Weber und der Strumpfstricker zählten die meisten Mitglieder. Die Einäscherung der Stadt durch die Franzosen 1689 brachte das Ende einer friedlichen Entwicklung.

Die erste Hälfte des 19. Jahrhunderts war die Zeit des Straßenbaus. Die Chausseen nach Bingen und Zell und durch die Bachtäler nach Kirn und Oberwesel wurden ausgebaut. Simmern wurde zum Verkehrsknotenpunkt. Die Entwicklung setzte sich fort mit der Anlage verschiedener Eisenbahnlinien: Bingerbrück–Simmern (1889), Simmern–Hermeskeil–Trier (1889 bis 1904), Boppard–Simmern (1908) und Simmern–Gemünden (1916–1922). Bis auf die Strecke Emmelshausen–Boppard sind alle diese Linien für den Personenverkehr wieder stillgelegt worden. Simmern ist heute Kreisstadt des Rhein-Hunsrück-Kreises, die »Metropole des Hunsrücks«.

Die älteste Stadt, die auf der Hochfläche liegt, ist Kirchberg, die »Stadt auf dem Berge«, mit den weithin sichtbaren Wahrzeichen: der Michaelskirche, der Friedenskirche und dem runden Wasserturm. Hoch überragen sie die Schieferdächer der Stadt und sind von jedem Aussichtspunkt mühelos zu erkennen. Wenn auch hier der Dreißigjährige Krieg und der Pfälzische Erbfolgekrieg schwere Wunden geschlagen haben, blieben doch einige Gebäude der frühen Neuzeit erhalten. Zu ihnen zählen die wunderschönen Fachwerkhäuser, die den Marktplatz umgeben. Der heutige Stadtgrundriß läßt in seiner topographischen Anordnung die Entstehung der Stadt aus einem mittelalterlichen Marktflekken noch sehr gut erkennen. Im nahe gelegenen Denzen vermutet man das römische Dumnissus des Ausonius, eine Straßenstation mit Posthalterei und Tavernen. Die Grafen von Sponheim verliehen der Siedlung 1259 Stadtrechte und förderten ihre Entwicklung. Zunehmende Bedeutung gewann die Stadt als kirchlicher »Sprengelmittelpunkt«, als Oberamtsstadt und als Marktort.

Hermeskeil, das im großen Güterverzeichnis des Erzbistums Trier 1220 als »Hermanniskellede« bezeichnet wird, besitzt eine alte Martinskirche und wird heute allgemein zu den frühen Ausbausiedlungen der Tholeyer Grundherrschaft gerechnet. Der Hermeskeiler Bezirk liegt zwischen den breiten Quarzitrücken des Osburger und Schwarzwälder Hochwalds. Hier war der Schnittpunkt wichtiger Verkehrsverbindungen von Trier zur oberen Nahe und vom Hunsrück zum Saargebiet. Bis ins 20. Jahrhundert bot der Kirchspielort als Markt und Handelsmittelpunkt den Bewohnern eine ausreichende Erwerbsgrundlage. Für die Kleinbauern der Nachbardörfer war er Einkaufsort für den landwirtschaftlichen Bedarf an Acker- und Stallgeräten und für Arbeitskleidung. Durch den Bau der Hunsrückbahn und der Hunsrückhöhenstraße kurz vor dem Zweiten Weltkrieg gewann Hermeskeil mehr und mehr an Bedeutung. Allmählich vollzog sich ein Wandel vom rein landwirtschaftlichen Charakter zu einer Siedlung mit städtischem Gepräge. Im Raumordnungsplan des Landes Rheinland-Pfalz wurde der Amtsort Hermeskeil als Zentrum ausgewiesen. Das Angebot neuer Wohngebiete, die Ansiedlung von Industrie, das Schulzentrum und weitere infrastrukturelle Maßnahmen führten 1970 zur Verleihung der Stadtrechte. Hermeskeil ist damit die jüngste Stadt auf dem Hunsrück. Die Autobahn 1 (»A 1«) Trier–Saarbrücken mit der Abzweigung südlich von Hermeskeil nach Kaiserslautern (A 62) verbindet die aufstrebende Stadt mit dem südwestdeutschen Wirtschaftsraum.

Weite Ackerfluren auf der welligen Hochebene mit gelben Rapsfeldern im Frühjahr, mit wogenden Gersten- und Weizenfeldern im Sommer, dazwischen das Grün von Hackfrüchten und Kartoffelfeldern, von saftigen Wiesen und Weidekoppeln mit rotbunten Rinderherden, hie und da mit Pferden oder gar mit Damwildrudeln, Schafherden auf Stoppeläckern, kleine Dörfer mit glänzenden Schieferdächern und zuweilen zwischen Bäumen und Sträuchern ein Aussiedlerhof mit Wohn- und Wirtschaftsgebäuden bieten das Bild einer ausgesprochenen Agrarlandschaft. Es wohnen noch überall Bauern in den Dörfern, und nicht alle leerstehenden Scheunen und Stallungen sind zu Wohnungen und Garagen umgebaut. Die Häuser sind von Gemüsegärten und »Bitzen« mit Obstbäumen umgeben. Und doch stimmt dieses Bild einer scheinbar intakten bäuerlichen Landschaft nicht mehr ganz.

Ende des 18. Jahrhunderts hatte der Geograph Widder die Landwirtschaft auf dem Hunsrück so gesehen: »Da das Oberamt (Simmern) von mehreren Bergen, Waldungen und Heiden eingeschlossen und das Erdreich an sich selbst rauh, kalt und sandig ist, so darf man keinen Weinbau darin suchen. Auch das Ackerfeld ist mehr zum Haber und Flachs, als zu anderen Gattungen des Getreides tauglich. Dagegen ist die Viehe-, vornehmlich die Schaafzucht ein wesentlicher Nahrungszweig der Untertanen. Das Hunsrücker Hammelfleisch wird allenthalben gerühmt und oft auch versendet.« Um diese Zeit hatte die Kartoffel den Weg ins Höhengebiet gefunden und half Not- und Hungerjahre lindern. Doch Besitzzerstückelung durch Erbteilung, harte Fronden und drückende Zehntabgaben, religiöse Bedrückungen und Angst vor Kriegs- und Militärdienst trieben Tausende von Menschen in die Fremde: auf den Balkan, nach Brasilien und in die USA. Es war kein leichtes Arbeiten auf den verwitterten, kalkarmen Schieferböden, oft eine Quälerei mit dem Kuhgespann, denn nur wenige konnten sich Ochsen oder gar Pferde leisten. Mit allerlei Nebenerwerben versuchten die Bauern ihr kärgliches Leben aufzubessern. Sie bauten Flachs, webten Leinen, betrieben Handwerke, gingen während des Winters als Waldarbeiter oder suchten zeitweise Beschäftigung in den Kohlengruben und Industrien von Saar- und Ruhrgebiet.

Eine völlige Umgestaltung der bisherigen Arbeitsweise erfolgte nach dem Zweiten Weltkrieg. Der Anschluß an das Eisenbahnnetz um die Jahrhundertwende, verbesserte Dreifelderwirtschaft, künstliche Düngung und Flurbereinigung hatten bereits zu Ertragssteigerungen geführt. Nun setzte eine totale Motorisierung und Mechanisierung ein. Der gewaltige Wirtschaftsaufschwung gab den Menschen neue, bessere Verdienstmöglichkeiten. Viele Landwirte gaben deshalb ihre kleinen unrentablen Betriebe auf und verkauften oder verpachteten das Feld und die Wiesen. Andere wurden zu Unternehmern mit großen Maschinenparks. Für solche Großbetriebe war es im Dorf zu eng, darum wanderten sie als Aussiedlerhöfe nach draußen, mitten in die Feldflur. Der Einstieg in das komplizierte System der Europäischen Wirtschaftsgemeinschaft verführte zu Monokulturen: Braugersten- und Rapsanbau oder nur Milchwirtschaft und zur Spezialisierung auf Geflügel-, Schweine- und Bullenzucht. Neue Formen der Konservierung ließen Kühl- und Gefrieranlagen entstehen, die Hausschlachtung wird in Schlachthäusern durchgeführt, die genossenschaftlich betriebenen Backhäuser sind zum Teil abgerissen, denn man kauft das Brot beim Bäcker, und die Milch wird des Morgens in riesigen Tankwagen zu zentralen Großmolkereien gebracht. Der Lärm der Traktoren unterbricht zuweilen die dörfliche Stille. Rentabler Einsatz von Maschinen und Produktionszwänge diktieren den Arbeitsrhythmus und nicht mehr der Schlag der Kirchenuhr. Dem Wirtschaftsdenken wurde mancher Baum, manches Gebüsch und Gehölz geopfert. Eine völlige Umstrukturierung hat sich im Wohnbereich, in der Lebenshaltung und in der Freizeitgestaltung vollzogen. Trotz allem aber lassen die Arbeiten um Saat und Ernte, das Leben in der kleinen dörflichen Gemeinschaft und in Vereinen, bei Sitten und Brauch, bei Festen und im religiösen Bereich diese Veränderungen zurücktreten. Trotz allem bleibt der Hunsrück weiterhin ein Wald- und Bauernland.

Bilderläuterungen 1–61

1 Die Stadt Kastellaun mit der Sponheimer Burgruine. Die Stadt Kastellaun mit der auf einem Felsen liegenden Burgruine war lange Zeit Residenz der Grafen von Sponheim. Mit 14 Jahrmärkten, die die Grafen dem Ort verliehen hatten und zu denen die Bauern der Umgebung Hunderte von Stück Vieh auftrieben, wurde Kastellaun zu einem zentralen Geschäfts- und Handelsort für den ganzen nördlichen Hunsrück. Als Sitz einer Verbandsgemeindeverwaltung und als Standort der »Hunsrücker Milchwerke« ist die Stadt, die ein Schulzentrum und ein Hallenbad besitzt, nach wie vor ein Mittelpunkt der Region. Die ehemals stolze Burganlage, im 14. Jahrhundert durch den Fußfall der Gräfin Elisabeth von Sponheim vor dem mächtigen Erzbischof Balduin von Trier vor der Zerstörung gerettet, fiel 1689 am »Hunsrücker Zerstörungs- und Jammertag« den Truppen Ludwigs XIV. zum Opfer. Geblieben sind die Mauerfront des Palas, der Rest eines Turmes und das Tonnengewölbe eines Kellers. In der ev. Pfarrkirche finden sich zahlreiche Grabdenkmäler adliger und bürgerlicher Familien.

2 Mörz, der Hochaltar der Wallfahrtskirche Mariä Himmelfahrt. Mörz, ein kleiner Ort nahe Kastellaun, bereits um 1200 genannt, besitzt mit der kath. Kirche Mariä Himmelfahrt eine Kostbarkeit. Sie gehört zur benachbarten Pfarrei Buch. In der 1735/36 erbauten Kirche füllt ein schöner Hochaltar die ganze Höhe und Breite der Apsis. Im Mittelstück des farbenprächtigen und reich vergoldeten Altars mit seinen weitausladenden Seitenflügeln sind zwei Gemälde übereinandergestellt, unten Mariä Himmelfahrt und darüber die Krönung Mariens, umrahmt von Säulenpaaren, Pilastern, Voluten und einem geschweiften Giebelstück. Hoch oben ein Baldachin und darüber im Strahlenkranz das Auge Gottes. Zwischen den Säulen Plastiken: die hl. Barbara links, rechts der hl. Nikolaus, daneben in einem Bottich ein Kind. Der linke nach außen vorstehende Seitenflügel zeigt die Anbetung der Könige, eine Kopie von Tiepolos Bild in der alten Münchner Pinakothek, der rechte die Verkündigung Marias. Alle Bilder sind eingebettet in eine Farbensymphonie von marmoriertem Blau, Braun, Elfenbein und Gold.

3 Wegekreuze bei Mörsdorf. Eines der im nördlichen Hunsrück weitverbreiteten Wegekreuze. Sie sind Zeichen der Volksfrömmigkeit, Mahn- und Erinnerungsmale, Mittelpunkt feierlicher Handlungen, oft aus Dankbarkeit für Errettung aus Not gestiftet. Damit werden sie Ausdruck für das Verbundensein zwischen Gott und den Menschen. Sie wurden in katholischen Gegenden seit dem 17. Jahrhundert errichtet. Zu den Steinkreuzen aus der älteren Zeit mit einer eindrucksvollen Darstellung des Gekreuzigten gehört das bei Mörsdorf aus dem Jahre 1652. Am Sockel trägt es die Initialen des Stifters.

4 Reizvoller Blick im Herbst über den Hunsrück bei Eveshausen. Eveshausen ist ein kleines Dorf am Wege von Kastellaun nach Burgen an der Mosel. Begrenzt wird diese Landschaft von den wildromantischen Tälern des Lütz- und Baybaches, deren Wasser der Mosel zueilen. Einsame Täler wechseln mit sanftgewellten Höhen: Felder, Wiesen und Weiden, besetzt mit Hecken und Obstbäumen, dazwischen kleine Waldstücke, sind charakteristisch für den nördlichen Hunsrück im Dreieck zwischen Rhein und Mosel. Diese Landschaft abseits vom Verkehr lädt zu Fußwanderungen ins Baybachtal ein, zur versteckten Burgruine Waldeck, zu den ehemaligen Mühlen, in denen sich jetzt Gaststätten etabliert haben, die für den Wanderer allerlei Köstlichkeiten bereithalten. Im Lützbachtal liegt der Kurort Lütz.

5 Burg Balduinseck auf einem Felsen über dem romantischen Mörsdorfer Tal. Unmittelbar an der Straße, die von Kastellaun nach Masterhausen führt, erhebt sich der mächtige Wohnturm von Balduinseck. Er gehört zu einem der zahlreichen Wehrbauten, die der Erzbischof Balduin im 14. Jahrhundert im Kampf mit der Hunsrücker Ritterschaft errichten ließ und ihnen selbstbewußt seinen Namen gab. Den Donjon-Burgentyp hatte Balduin in Frankreich kennengelernt. Der 23 m lange und 14,5 m breite Wohnturm mit ehemaligen Ecktourellen hatte vier Stockwerke, die man über eine enge Wendeltreppe aus Schiefersteinen erreichte. Im Erdgeschoß waren die Wirtschaftsräume und ein tiefer Brunnen, der heute zugeschüttet ist. Darüber lagen der Rittersaal und die mit Kaminen beheizte Kemenate. Eine Ringmauer mit vorstehenden Bastionstürmen umschloß den Burghof, an dessen keilförmiger Spitze der Bergfried lag. Die Burg, späterer Sitz eines kurtrierischen Amtmannes, zerfiel im 18. Jahrhundert. Geblieben sind die mächtigen Mauern des Palas mit großen leeren Fensterhöhlen. Balduinseck ist ein beliebtes Wanderziel.

6 Burg Waldeck, fernab von allem Verkehr am Steilhang des fast unzugänglichen Baybachtales, war 1242 im Besitz des Erzbischofs von Köln. Wenige Jahre später errichteten die zahlreichen Glieder der Ritter von Waldeck unterhalb dieser Oberburg auf dem Drachenkopf eine zweite Anlage, die Niederburg. Die trink- und kampffreudigen Ritter schlugen sich in einer Fehde auch mit dem Trierer Erzbischof Balduin. Das mächtige Schloß wurde 1689 von den Truppen Ludwigs XIV. niedergebrannt. 1720 errichtete der Oberstallmeister Wilhelm Lothar Freiherr Boos von Waldeck auf den Trümmern einen Sommersitz, doch wurde das Schloß mit seiner Kapelle während der französischen Revolutionskriege Ende des 18. Jahrhunderts verlassen und 1813 auf Abbruch verkauft. Seit vielen Jahrzehnten gehört die Burgruine mit dem gesamten Gelände dem Bund der Nerother Wandervögel. Diese haben sich in freiwilligen Arbeitseinsätzen eine neue Jugendburg gebaut und sie über den tiefen Halsgraben mit einer hoch gewölbten Steinbrücke zugänglich gemacht. Waldeck ist Treffpunkt von Jugend- und Pfadfindergruppen, von Künstlern, Folkloregruppen und Arbeitsgemeinschaften.

7/8 Der Kurpark in Emmelshausen. Nach dem Zweiten Weltkrieg erlebte die erst im Laufe dieses Jahrhunderts entstandene Gemeinde einen ungeahnten Aufschwung und war 1957 schon Einkaufszentrum des vorderen Hunsrück. Wo zu Beginn des 20. Jahrhunderts Heide und Wald waren, siedelten sich nun Industrie- und Gewerbebetriebe an: Strickwaren(fabrikation), Elektronenorgeln, Baufirmen und Supermärkte. 1982 zählte Emmelshausen, inzwischen Sitz einer Verbandsgemeindeverwaltung geworden, 3700 Einwohner. Die günstige Verkehrslage zwischen Rhein und Mosel, die Höhenlage mit gesunder Luft, die waldreiche Umgebung, die Wandermöglichkeiten durch das romantische Baybachtal und die wildzerklüftete Ehrbachklamm ließen Emmelshausen zum anerkannten Luftkurort werden. Der Kurpark, ein Ruhepunkt für Erholungsuchende, eine gutgeführte Gastronomie und zahlreiche Freizeitangebote garantieren einen erholsamen Aufenthalt.

9 Schieferbeschlagenes Haus in Womrath. Seit vielen Jahrhunderten werden Hausdächer, aber auch Hauswände im Hunsrück, am Rhein und an der Mosel mit den blaugrauen, oft glänzenden Schieferplatten beschlagen. Diese Leien oder Layen, wie sie in der Mundart genannt werden, bilden einen hervorragenden und langanhaltenden Schutz gegen Wind und Wetter, vor allem in den Höhengebieten. Im 19. und 20. Jahrhundert gaben sich die Schieferdecker jedoch nicht damit zufrieden, den Schiefer in langen Reihen anzuordnen, sondern sie nutzten ihr handwerkliches Können, um die Fassadenverschieferung durch dekorative Ornamente aufzulockern. Es entstanden geometrische Muster, kreuzartige und sternförmige Verzierungen. Auch die verschiedene Farbgebung der Schieferplatten, hell und dunkel, wurden zur Auflockerung der Flächen genutzt. Hervorzuheben sind die schieferbeschlagenen Wetterdächelchen entlang der Hauswände. Sie ersetzen die Dachrinne und schützen die Lehmwände vor dem Regenwasser.

10 Hunsrücker Fachwerkhaus. Nachdem man in den Jahren nach dem Zweiten Weltkrieg zahlreiches Fachwerk in den Dörfern hinter häßlichen Kunststoffplatten verschwinden ließ, um vermeintliche Erhaltungskosten zu sparen, erlebt das Fachwerk eine echte Renaissance, d. h. man entfernt Putzschichten und hebt durch meist dunkelbraunen Anstrich das Balkenwerk an Häusern und Scheunen wieder hervor. »Kunstvoll profilierte Schwellen und Rahmhölzer werden selten angetroffen, meist ist nur die Giebelseite mit reichlich Füllholzwerk versehen. Es bleibt immer alles einfach, dem geraden und derben Sinn der Hunsrücker entsprechend«, schrieb ein Volkskundler Anfang der 30er Jahre, als er das Einhaus des Hunsrücks darstellte, in dem Wohnteil, Stall und Scheune unter einem langgestreckten Dach vereinigt und die Giebelseiten zur Straße hin gerichtet waren.

11 Blick auf Simmern. Von Südosten geht der Blick über die sanfte Mulde des Simmerbachtals in die weite offene Landschaft der Hunsrückhochfläche. Aus dem Stadtkern ragen die barocken Türme der Stephans- und Josephskirche, der untere Teil der Stadt wird beherrscht von dem klassizistisch-einfachen Neuen Schloß mit seinem Schloßplatz. Das Schulzentrum, die

Industrieanlagen und die dissonierenden Neubauten sind weitgehend an die Peripherie gerückt. Von der geschlossenen mittelalterlichen Stadtanlage mit ihrer reizvollen Renaissance-Schloßanlage, den stattlichen Bürgerhäusern und der Ummauerung, wie sie uns durch die berühmten Stiche in der »Cosmographia« Sebastian Münsters und der »Topographia« Merians überliefert sind, ist nahezu nichts mehr erhalten. Sie wurde Opfer des großen Brandes von 1689. Im 18. und 19. Jahrhundert entstanden entlang der Ober-, Markt- und Schloßstraße neue Geschäftshäuser und Bürgerwohnungen, allerdings weniger aufwendig gestaltet. Heute wird versucht, durch den Bau neuer Straßen den innerstädtischen Verkehr erheblich zu entlasten.

12 a und b Schinderhannesturm in Simmern. »Ich schaudere noch in diesem Augenblick, wenn ich mich der Härte der Gefangenschaft, welche ich da (im Turm zu Simmern) empfunden habe, erinnere. Die Nacht hindurch war ich mit Ketten beladen und in einem finsteren, feuchten, unterirdischen Gewölbe gefangengehalten«, gab Johannes Bückler, genannt Schinderhannes, 1803 vor dem Mainzer Tribunal zu Protokoll, als er über seinen Ausbruch und seine Flucht befragt wurde. Dieses ehemalige Pulvermagazin der alten Stadtbefestigung mit seinem pfälzischen Husaren als Wetterfahne auf der Spitze galt als sicherster Gewahrsam im ganzen Arrondissement. Deshalb schleppte man den Räuberhauptmann nach seiner Gefangennahme im Februar 1799 hierher und glaubte ihn sicher hinter Schloß und Riegel. Doch schon ein halbes Jahr später gelangen ihm der Ausbruch und die Flucht. Es begann seine große Zeit als »Johannes durch den Wald« und als »König des Soonwaldes«.

13 Neues Schloß in Simmern. An der Stelle des Neuen Schlosses stand einst eine Burg, die die Pfalzgrafen bei Rhein zu ihrer Residenz ausbauten. Im Pfälzischen Erbfolgekrieg (1689) wurde das Schloß vollständig vernichtet. Zwischen 1708 und 1712 entstand das jetzige Gebäude mit den durchgehenden Fensterreihen, geschoßgliedernden Gesimsen und vorgezogenen Seitenflügeln, zu beiden Seiten von einem Schloßweiher umgeben. Der nüchterne Verwaltungsbau diente zunächst dem kurpfälzischen Amtmann als Wohnung. Später waren darin Kreisgericht, Gefängnis, Schule und Militär untergebracht. Nach einer gründlichen Renovierung 1966 fanden Stadtbücherei, Volkshochschule, Hunsrückarchiv, Geschichtsbücherei und Hunsrückmuseum darin eine dauernde Bleibe.

14 Simmern, Bauernstube im Hunsrückmuseum. Neben den Schieferfossilien von Bundenbach und Gemünden, neben Fundstücken aus vor- und frühgeschichtlicher Zeit und einer beachtlichen Sammlung aus der Epoche, als Simmern Residenzstadt war, gewährt die volkskundliche Abteilung einen Einblick in Sitte und Brauchtum und in die Lebensweise der Hunsrücker Menschen. – Die Bauernstube mit dem reichgeschnitzten und verzierten Mobiliar zeugt von dem beachtlichen handwerklichen Können dörflicher Schreiner. Unten rechts steht die »Kischt«, eine Holzkiste aus Eiche für die Wäscheaussteuer, dahinter die »Waal«, eine Kinderwiege mit den verkleinerten Spielformen. Das an der Wand hängende »Schänkelchen« (Hängeschrank) birgt die Familienpapiere. Ein reichgeschnitzter Tisch mit einer handgearbeiteten Leinentischdecke und einem darüber hängenden »Ulichlämpche« (Öllampe) nimmt die Mitte der Stube ein. Dazu gehören drei Stühle mit verzierten Rückenlehnen. Die »Bankkischt« dahinter ist eine Kombination aus Sitzbank und Truhe mit aufklappbaren Deckeln. Ein Spinnrad, um Flachs und Schafwolle zu spinnen, Schränke, selbstgefertigte Bilder und eine Standuhr in der Ecke vervollständigen die Einrichtung.

15 Simmern, Grabmal von Herzog Johann I. in der Stephanskirche. Der von Hans Backoffen beeinflußte und in Koblenz und Trier tätige Bildhauer »Jacob Kerre« schuf das Grabmal für Herzog Johann I. († 1509), aufgestellt in der Annenkapelle, dem südlichen Seitenschiff der Stephanskirche. Der Herzog steht in Lebensgröße auf einem Löwen, trägt einen Maximiliansharnisch und ein Schwert. Die wuchtigen Pfeiler seitlich der Figur tragen die Wappen Pfalz-Bayern, Veldenz, Geldern und Kleve-Mark, das Giebelfeld die von Pfalz-Bayern und Sponheim. Den Abschluß nach oben bilden nackte Eroten »voll spätgotischer Beweglichkeit«. Unter dem Hofbildhauer Johann Trarbach erlebte die Bildhauerkunst in Simmern ihre große Blütezeit. Die Werke des Meisters wanderten in die Grabkirchen der fürstlichen Häuser in Meisenheim, Öhringen, Baden-Baden, Wertheim, Hanau und Michelstadt. Zeugnisse seiner Kunst in der Stephanskirche sind das Halbfigurenepitaph für Maria Jacobäa von Oettingen, das Doppelgrabmal für Herzog Reichard, das Grabmal für Emilia von Württemberg, das Epitaph für Pfalzgräfin Alberta und mehrere Inschriftenepitaphien.

16 Simmern, kath. Pfarrkirche St. Joseph. Auf Anordnung des pfälzischen Kurfürsten Karl Theodor, »daß zum besten deren in der Oberamtsstadt Simmern und dazu eingepfarrten katholischen Einwohner eine neue Pfarrkirche erbaut werde«, entstand zwischen 1749 und 1752 nach den Plänen des Heidelberger Baumeisters Johann Jakob Rischer eine Saalkirche mit rundgeschlossenem Chor. Der haubengekrönte Turm ist an dessen Scheitel angebaut. Ionische Pilaster gliedern die Langseite des Schiffes zur Straße hin auf. Der Säulenvorbau des Portals trägt eine Muttergottesstatue von Martin Bitterich aus Mainz, die großartigen Deckengemälde stammen von dem Mannheimer Hofmaler Francesco Bernhardini.

Bereits in den Jahren 1703–1705 hatten Karmelitermönche aus Boppard, die im Verlauf der Gegenreformation in Simmern ein Zentrum der katholischen Seelsorge auf dem Hunsrück einrichteten, ein Kloster erbaut, das heutige Pfarrhaus und Jugendheim.

17 Blick auf das Dorf Horn auf den Höhen des Hunsrück. Das Dorf, malerisch an einen langgestreckten Hügel angelehnt und allseitig von Wald umgeben, wird von dem weißen Turm der alten evangelischen Kirche überragt. Der Siedlungsgrund ist geschichtsträchtig, ausgewiesen durch eine mittelalterliche Turmhügelburg und ein landsässiges Edelherrengeschlecht. Die Pfalzgrafen bei Rhein zogen den Ort in ihr Verteidigungssystem im mittleren Hunsrück mit ein, ließen ihn mit Mauern, Türmen und Gräben befestigen und zur Stadt erheben. Mit dem Aussterben der Wittelsbacher Linie Pfalz-Simmern verlor Horn seine militärpolitische Stellung, der Prozeß der Stadtwerdung blieb in den Anfängen stecken. Die alte Pfarrwohnung ist das Geburtshaus des bekannten Jugend- und Volksschriftstellers Wilhelm Oertel (W. O. von Horn).

18 Ravengiersburg im Simmerbachtal. Auf dem Felsen des Augustiner-Chorherrenstifts erhob sich bereits im 10. Jahrhundert eine Burg, die dem königlichen Gefolgsmann Rabangar gehörte. Von ihm erhielt der Ort Ravengiersburg seinen Namen. Um den Felsen herum zieht die Dorfstraße, beidseitig bebaut, teils mit traufseitig aneinandergereihten Gebäuden, teils mit giebelseitig freistehenden Häusern. Die auf abschüssiger Böschung 1908 nach den Plänen von Baurat Häuser und dem Herborner Architekten Hofmann erbaute evangelische Dorfkirche bildet eine malerische Baugruppe und fügt sich harmonisch in das Bild des Hunsrückdorfes ein. Zwischen Simmerbach und Brühlbach liegt im Hintergrund auf der »Nunkircher Schwelle« das Dorf Sargenroth. Der Bismarckturm (440 m) unweit der Nunkirche gewährt eine prächtige Rundsicht über die Hochfläche zu den Höhenzügen des Hunsrücks bis hin zu den Eifelbergen. Die sanften Kammlinien des Großen Soon schließen das Bild am Horizont ab.

19 Ravengiersburg. Die Westfront der Klosterkirche. Nur das Westwerk des »Ravengiersburger Domes« hat die Stürme der Kriege und die sich wiederholenden Brandkatastrophen überstanden. Die Untergeschosse der Türme, die Krypta, der Chor und das Langhaus wurden im ersten Viertel des 12. Jahrhunderts erbaut. 100 Jahre später entstanden die Freigeschosse der Türme. Kunstgeschichtlich ist dieser doppeltürmige Westbau von besonderem Wert. »Nach der ästhetischen Seite ist diese Fassade sehr der Beachtung zu empfehlen; an ihrer großzügigen Naivität kann man lernen, was den modernen Nachahmern des romanischen Stils ewig unerreichbar ist« (Dehio). Bemerkenswerte Fensterarkaden schließen den Zwischenbau nach oben ab. Säulen und Säulenbündel sind reich verziert. Von unten hinein ragt eine Ädikula mit thronendem Christus. Kapitelle und Basen tragen die Symbole der vier Evangelisten. In der mittleren Blende des Südturmes befindet sich als Relieffigur ein Kreuz mit gewandetem Christus. Auf der Säule im Geschoß darüber sind Adam und Eva unter dem Baum des Paradieses dargestellt. Die Mannigfaltigkeit der Kunstformen weist baugeschichtlich in den trierisch-lothringischen Raum, die Stilelemente im vierten Turmgeschoß erinnern an Andernach und an den Niederrhein. Die heutige Saalkirche und das Pfarrhaus sind das Werk der Augustinerkanoniker aus Eberhardsklausen nach 1700.

20 Die Nunkirche bei Sargenroth. Unter den uralten Linden, in landschaftsbeherrschender Lage war die Nunkirche seit dem Mittelalter Stätte kirchlichen, landesherrschaftlichen und wirtschaftlichen Lebens. Vermutlich hat sie das Gaugrafengeschlecht der Bertholde, die Gründer des Augustiner-Chorherrenstift Ravengiersburg, um 1000 erbaut. Im Schatten der Bäume tagte das soonseitige propsteiische Hundertschaftsgericht und wies die Rechte über Maße, Gewichte und Straßen und verurteilte den Verbrecher. Als im Mittelalter die Pest im Westen des Reiches wütete, suchten die Menschen Heilung in der dem Pestheiligen Rochus geweihten Kirche. In den ersten Septembertagen herrscht auf dem Marktplatz buntes Leben und fröhliches Treiben, wenn der Nunkircher Markt abgehalten wird und die Besucher aus dem weiten Umland herbeiströmen. Rottmann hat in einem unübertrefflichen Mundartgedicht die Stimmung dieses Marktes vor 150 Jahren eingefangen.

21 a und b Nunkirche, Freskomalereien. Der Chorturm der Nunkirche birgt einen bemerkenswerten Kunstschatz mit seinen 1896 entdeckten Freskomalereien. Das Chorgewölbe zeigt auf Ockergrund die Majestas Domini in der Mandorla mit segnend erhobener Rechter, umgeben von den vier Evangelisten als geflügelte Gewandfiguren. Die Wandflächen sind ausgemalt mit einer Gruppe von Seligen und Verdammten. Im Zuge der Verdammten erblickt man einen Bischof, einen Abt, eine Äbtissin, zahlreiche Juden und eine bekümmerte Frau. Teufelsgestalten führen an einer Kette die Unglücklichen in die Hölle. Die Fensterlaibungen zeigen Details aus dem Leben Mariens. 1935 wurden die Restauratoren überrascht, als sie bei der Erweiterung des Turmeingangs neue Fresken, die Klugen und die Törichten Jungfrauen, entdeckten. Zeitlich lassen sich die Gewölbemalereien in die zweite Hälfte des 13. Jahrhunderts, die Malereien in den Fenstern und am Torbogen ins 14. Jahrhundert datieren.

22 Mengerschied, Blick zum Soonwald. Der Lametbach ist das einzige Gewässer, das den vorderen Soonzug von Süden her durchbricht. Hinter dem Talausschnitt steigt die Alteburg (623 m) auf, bekrönt von einem steinernen Aussichtsturm mit großartiger Rundsicht. Der Berg trägt einen quadratischen Viereckswall, dessen Entstehung vielleicht in die Latènezeit zurückreicht und den Menschen der Hunsrück-Eifel-Kultur als Fliehburg diente. Vor der dunklen Waldkulisse der Gemündener und Wildburger Höhe liegt am Zusammenfluß von Lamet und Brühlbach der Ort Mengerschied. Früh ist hier die Bergkirche bezeugt. Sie war der hl. Walpurgis geweiht, und an der nahen Walpurgisquelle

suchten im Mittelalter augenkranke Wallfahrer Heilung. Die jetzige Kirche im Dorf ist ein Bau aus dem vorigen Jahrhundert, nach Plänen von Johann Claudius von Lassaulx errichtet. Die zahlreich in Ortsnähe aufgeschlossenen Stollen weisen auf den ehemals florierenden Schieferbau hin. Neben der Landwirtschaft spielte das Töpfergewerbe schon früh eine Rolle.

23 Gemünden, romantische Partie am Simmerbachwehr. Der Name Gemünden bezeichnet die Ortslage am Zusammenfluß von Lamet und Simmerbach. Als alte sponheimische Besitzung erlangte der Ort früh Bedeutung, erhielt städtische Rechte mit Befestigung, Gericht und Markt. Das Schloß, reizvoll über dem Simmerbachtal gelegen, kam 1514 durch Kauf an Fritsch von Schmidtburg. Die Westhälfte der Hauptburg zerstörten 1689 die Franzosen. In einem der beiden Türme befindet sich die Hauskapelle der Freiherren von Salis-Soglio, der jetzigen Schloßbesitzer. Die heutige Schloßanlage, ein Rechteckbau mit vier haubengekrönten Rundtürmen, wurde 1718–1728 von dem Trierer Baumeister Hans Georg Judas angelegt. Sie ist Wohnsitz des Freiherrn von Salis-Soglio. Zum Inventar gehören kostbare Möbel, Wandteppiche und Waffen, ein reiches Urkundenarchiv, eine Bibliothek und ein elfenbeinerner Kruzifixus aus dem frühen 16. Jahrhundert. Im Vordergrund am Simmerbachwehr das ehemalige badische Zollhaus.

24 a und b Fossilien, Panzerfisch und Seestern. Die Fossilien aus den Schiefergruben von Gemünden und Bundenbach gehören heute zu den Kostbarkeiten fast aller bekannten naturhistorischen Museen der Welt. Sie entstammen dem vor 360 Millionen Jahren abgelagerten dunklen feinsandigen Tonschlamm des Devonmeeres. Der Panzerfisch von Gemünden (Drepanaspis gemuendenensis SCHLUETER) kommt in vielen Exemplaren vor. Unser Exemplar ist 40 x 16,5 cm groß. Zahlreiche Knochenplatten bedecken die Haut. Kiefer und Zähnchen fehlen noch. Das Maul auf der Bauchseite ist ein weiches Saugmaul. Das Innenskelett ist noch wenig entwickelt. Unser rheinischer Sonnenstern (Helianthaster rhenanus ROEMER) gehört zu den Seesternen (Asterozoa). Die Öffnung in der Mitte bildet den Mund. Das Mundskelett wird von kräftigen Eckstücken gestützt. Die Zahl der Arme beträgt bei nahezu allen »Sonnensternen« 16. Charakteristisch ist die mit den Armen verbundene Körperscheibe, die am Rande recht dicke Schuppen aufweist.

25 Gehlweiler, Simmerbachbrücke. Hier an der Steinbrücke über den Simmerbach soll ursprünglich eine Furt durch das Wasser geführt haben. Im 18. Jahrhundert entstand dieser verputzte Quader- und Bruchsteinbau mit den drei Bögen und den beiden schiffsförmigen Pfeilern. Die Brüstungen sind voll ausgemauert. Bedeutung erhielt dieser Bachübergang durch die alte niederländische Postroute Innsbruck–Mecheln. Sie führte von Wöllstein über Sponheim, Eckweiler, Schwarzerden, Gehlweiler, Woppenroth nach Lieser an der Mosel. Steinbrücken waren früher auf dem Hunsrück keine Seltenheit. Zerstörungen im Krieg und Verbreiterung der Fahrwege ließen sie mehr und mehr aus dem altgewohnten Dorfbild verschwinden; moderne Betonbrücken nehmen ihre Stelle ein.

26 Gehlweiler, altes Backhaus. Es gibt heute leider nur noch wenig Gemeindebackhäuser auf dem Hunsrück wie das kleine malerische Fachwerkhaus in Gehlweiler. Seit das Bäckereiauto aus der nahen Stadt Brot und Kuchen in die entlegensten Dörfer bringt, hat das Backhaus seine Funktion weitgehend verloren. Früher hatten sich die Bewohner der Dörfer zu regelrechten Backhausgesellschaften zusammengeschlossen und einen Schultheißen zu ihrem Vorsitzenden gewählt. Das Backrecht war an ein bestimmtes Bauernhaus gebunden, das in der Regel durch Vererbung auf den neuen Eigentümer überging. Wenn um die Mittagszeit die Glocke vom Dachreiter läutete, kamen die Bauersfrauen und losten die Reihenfolge für das Backen am nächsten Tage aus. Neben dem kernigen Hunsrücker Bauernbrot wurde zu den Sonn- und Feiertagen auch der Zimmet-, Apfel- und Quetschekuchen gebacken.

27 Gemünden, am Geologischen Hunsrück-Lehrpfad. Gleich unterhalb von Gemünden am Simmerbach beginnt der Geologische Hunsrück-Lehrpfad. Er wurde im Sommer 1978 eröffnet und führt über den Haret bis zur Werkheisersmühle, wo der Simmerbach überquert wird. Über den Hoppschlag geht der Weg zurück zur Kaisergrube nach Gemünden. Der Pfad ist 4 km lang und zeigt an 35 Stellen Gesteinsgruppen, wie sie im Gebiet des Hunsrücks vorkommen: von den ältesten Gesteinen, den Gneisen (1 Milliarde Jahre), über Quarzite, Schiefer, Kalke, Schwerspate, Diabase, Porphyre bis zu den »Strandsanden« des Tertiärs. Hinweistafeln mit Gesteinsnamen, Herkunft, Entstehung und Alter führen den Besucher des Lehrpfads in die Geologie, Mineralogie und den Bergbau ein. Die Kaisergrube ist eine der berühmtesten Fundstellen von Fossilien aus der Devonzeit. Mächtige Schutthalden weisen auf den Schieferbergbau, der hier über Jahrhunderte betrieben wurde. 1960 stellte man den Abbau ein.

28 Blick ins Simmerbachtal bei Gemünden. Am Fuße von Lützelsoon und Soonwald schafft der Simmerbach, der unterhalb Gehlweiler den Namen Kellenbach trägt, den Durchbruch durch das Gebirge. Wir stehen auf der Verebnungsfläche gleich oberhalb von Schlierschied und schauen nach Gemünden. Verebnungsflächen sind Rumpfflächen mit einer mittleren Höhenlage von 500 m. Unmittelbar darauf erheben sich im Hintergrund die Quarzitkämme des Soonwaldes, durchgehend mit Hochwald bestanden. Zum Simmerbach hin böschen sanft die Trogböden ab. In buntem Wechsel folgen hier Wiesen, Äcker und Wälder. In ihrer Höhenlage bis zu 430 m sind die Trogböden klimatisch begünstigte Ackerflächen. Am Rande der Simmerbachtrogfläche liegt Schlierschied, mitten in der Trogfläche selbst der Flecken Gemünden. Der Verwitterungsschutt am Nordhang des bewaldeten Soonwaldes ist für die in der Nähe liegenden Siedlungen schon immer ein guter Wasserspeicher gewesen.

29 *Bergfried der Burgruine Koppenstein.* Es hat den Anschein, als wüchse der fünfeckige Bergfried der Burgruine Koppenstein gleichsam aus dem Gipfelquarzit des Soonwaldes heraus, so wie der davor gelagerte mächtige Felsbrocken. Auf dieser Sponheimer Burg des 12. Jahrhunderts entsproß aus einem Liebesverhältnis Graf Johanns II. mit Jutta, der schönen Tochter eines Dienstmannes, der Sohn Walrab. Er wurde legitimiert, geadelt und erhielt als Wappen die blaugoldenen Schachen der Sponheimer und im rechten oberen Viertel einen schwarzen Raben im roten Feld. Der mittelalterliche Name Koppe für Rabe könnte bei der Bezeichnung Koppenstein für diese Burg Pate gestanden haben. – Trotz der Verleihung städtischer Freiheiten im Jahre 1330 durch Kaiser Ludwig den Bayer ist es dort zu keiner Stadtgründung gekommen. Ungünstige Lage und Wassermangel waren die Gründe. Der Bergfried der ehemaligen Burg ist durch den Einbau einer Eisentreppe zu einem hervorragenden Aussichtsturm geworden, der eine ausgezeichnete Fernsicht nach allen Himmelsrichtungen bietet. Am Fuße des Felsens, wo einmal der Sage nach das »Koppensteiner Gretchen« wohnte, steht eine Schutzhütte des Hunsrückvereins als Raststätte für müde Wanderer.

30 *Das Denkmal des Jägers aus Kurpfalz.* Unmittelbar neben der Straße, die von Gemünden nach Bad Kreuznach führt, steht beim Forsthaus Entenpfuhl das Denkmal des »Jägers aus Kurpfalz«. Als es am 13. August 1913 von Seiner Majestät Kaiser Wilhelm II. persönlich eingeweiht wurde, wußte er noch nichts von dem später einmal entbrennenden Streit der Forscher um die wahre Person. Dieses Denkmal zeigt den ehemaligen »reutenden Jäger« Friedrich Wilhelm Utsch. Der damalige Landwirtschaftsminister Freiherr von Schorlemer-Lieser, verheiratet mit einer Nachkommin der

Familie Utsch, hielt die Weiherede, die mit einem Horrido auf den Obersten Jagdherrn endete. Tausende von Schulkindern hatten die Fahrtroute des Kaisers von Mainz zum Entenpfuhl gesäumt, Hunderte von Vereinen waren mit ihren Fahnen aufmarschiert, und etwa 600 Forstleute aus dem ganzen Regierungsbezirk Koblenz gaben die Kulisse zu der Zeremonie. Immer noch wird das muntere Lied vom »Jäger aus Kurpfalz« gesungen, doch niemand weiß genau, wem es gewidmet war.

31 *»Hirsch tot«.* Da liegt er nun, der kapitale Soonwaldhirsch, bewacht von einem Dackel und begutachtet von drei echten Hunsrücker Jägern. Herzlich beglückwünschen Oberforstmeister Satorius und Förster Schneider den Waidmann aus Passion, Wilhelm Schmitt vom Schmiedel, zu seinem Jagdglück und rufen ihm ein kräftiges »Waidmannsheil« zu. – »Ungebeugt die Gestalt, blitzend das Jägerauge im faltenlosen Antlitz, angetan mit dem grünen Rock des noch immer aktiven Jägers, so stand er vor mir, der ›Alte vom Berge‹«, schrieb ein Jagdgenosse 1960 über Wilhelm Schmitt kurz vor Vollendung seines 80. Lebensjahres im Vorwort zu dem Buch »Hunsrückjagd«, in dem dieser echte Jäger von Schrot und Korn Jagdgeschichten und Jägerlatein erzählte und in Gedichten seine tiefe Liebe zum Wald, dem Waidwerk und seiner Hunsrückheimat Ausdruck verlieh.

32 *Herbstwald.* Kilometerweit erstreckt sich Waldeinsamkeit im Hunsrück, ein grünes Meer von Laub- und Nadelwäldern. Wechselnd wie die Jahreszeiten ist auch das Bild des Waldes, tiefverschneit im Winter, eine flammende Farbensymphonie im Herbst, im Frühjahr das Leuchten von zartem Birken- und Buchenlaub, im Sommer schließlich glitzernder Tau in den Strahlen der Sonne, aufsteigender Nebel am frühen Morgen, Waldwiesen mit seltenen Blumen, das Gewirr von Farnen, Moosen und Flechten, morsche Baumstubben auf Waldblößen mit leuchtendem Ro-

tem Fingerhut übersät, hie und da ein umgestürzter Baumstamm, dornige Brombeerranken, die den Weg sperren.

33 Blumen im Nahe-Hunsrück-Gebiet. Unübersehbar ist die Zahl der Blütenpflanzen an den Hängen der Flußtäler und auf den Höhen des Hunsrücks. Besonders reich ist die Familie der Orchideen auf Trockenrasen und einsamen Waldwiesen vertreten. Man zählt über 20 Arten in herrlichen Farben und Formen. Oben von links nach rechts: Fliegen-Ragwurz (*Himantoglossum hircinum*), Wiesen-Knabenkraut (*Orchis morio*), Geflecktes Knabenkraut (*Dactylorhiza maculata*) und Brand-Knabenkraut (*Orchis ustulata*). Unten: Breitblättriges Knabenkraut (*Dactylorhiza majalis*) und Waldhyazinthe (*Platanthera bifolia*). Daneben zwei Charakterpflanzen des Gebietes: die aufbrechende Blüte des Roten Mohns (*Papawer rhoeas*), der Ödland und Schutthalden bedeckt, und der Rote Fingerhut (*Digitalis purpurea*), der mitunter abgeholzte Waldflächen zu Tausenden überzieht.

34 Töpferei im Soonwald. Ton- und Lettenvorkommen zwischen den Quarzit- und Schieferböden hatten in vielen Ortschaften des Hunsrück-Nahe-Gebietes Bauerntöpferei entstehen lassen. Hafner und Auler (= Töpfer) nannten sich die Leute, die auf der Töpferscheibe fast nur Gefäße und Gebrauchsgeschirr für den Haushalt herstellten. Darum hießen die in den Soonwalddörfern Bockenau, Spabrücken und Münchwald tätigen Töpfer auch »Dippemacher«. Noch heute betreiben einige Familien hier die Herstellung von »Eregescherr« (= irdenes Geschirr) in grauen und blauen oder auch braunen Farben, brennen Tassen und Teller, Schüsseln und Töpfe in der Glut. Die Töpferscheibe dreht sich allerdings mit elektrischer Kraft, und auch die Brennöfen müssen nicht mehr mit der wertvollen Holzkohle aus dem Soonwald betrieben werden. Früher brachten Händler, sog. »Krikrämer«, die irdenen Waren, wohl in Stroh verpackt, mit Pferd und Wagen übers Land. Heute kommen die Kunden zu den Töpfereien, deren Produktion sich stärker auf kunstgewerbliche Gegenstände verlagert hat, und kaufen an Ort und Stelle.

35 Stromberg, die Stadt am Soonwald. In einem mit Niederwald umrahmten Talkessel, wo sich Gulden-, Welsch- und Dörrebach vereinigen, liegt die Stadt Stromberg, die ihren Namen von der über dem Ort liegenden Stromburg trägt. Hier endet der Bingerwald und steigt der Soonwald empor. Reine und kühle Gebirgsluft mischt sich mit dem milden Klima des Nahelandes, das seine Weinberge durch das Guldenbachtal bis fast an die Stadt herangeschoben hat. Seit vielen Jahrzehnten ist Stromberg durch diese klimatisch begünstigte Lage ein gern besuchter Luftkurort, gut zu erreichen dank der unmittelbar auf der Höhe vorbeiführenden A 61. Kunstvolle Fachwerkhäuser in den engen Gassen, ein kleiner anheimelnder Marktplatz mit dem Jakobusbrunnen vervollständigen das Bild einer idyllischen Kleinstadt.
Die Stromburg war 1096 im Besitz eines Grafen Berthold aus dem Geschlecht der Emichonen, kam später in den Besitz der Wittelsbacher und war Geburtsstätte von Hans Michael Obentraut, dem dänischen Reitergeneral und Gegenspieler Tillys im Dreißigjährigen Krieg. Von da an erhielt er den Namen »Der Deutsche Michel«. Die zerfallene Ruine ist wiederaufgebaut, restauriert, renoviert und in ein komfortables Schloßhotel umgewandelt, dessen hoher Bergfried mit dem hellen Putz weit über das Tal leuchtet. In der ev. Pfarrkirche, die 1275 erbaut wurde, trennte während der Simultanzeit eine Mauer die beiden Bekenntnisse. Sie enthält alte Wappensteine und Grabplatten. Die kath. Pfarrkirche entstand 1863 im neugotischen Stil.

36 Die Stromberger Kalkwerke. Ein Korallenriff im Devonmeer hat die Stromberger Kalkinsel entstehen lassen. Schon die Römer nutzten den Kalk als Beimischung zum Mörtel, insbesondere brauchte man Kalk beim Bau von Burgen und Stadtmauern. Wurden der Kalkabbau und das Brennen in Kalköfen zuerst sporadisch und nach Bedarf betrieben, so begann im 19. Jahrhundert der Großabbau am Nordhang vom Gollenfels. Hier entstanden gewaltige Schachtöfen, Schlammweiher und auch ein Stausee für die Kalkwäsche. Mit einer Förderung von mehr als 200000 t Kalkstein gehören die Stromberger Kalkwerke zu den bedeutendsten im Bundesgebiet. Diesen Kalk brauchten die ehemaligen Hunsrücker Eisenhütten als Zusatz beim Schmelzen und auch die Glashütten im Soonwald. Stromberger Kalk lieferte erste Marmorwannen für die Badehäuser im benachbarten Bad Kreuznach und Bad Münster am Stein. Insbesondere verarbeitete ihn die Bauindustrie als Mauerkalk. Heute geht der Großteil der Produktion in die chemische Industrie zur Herstellung von Karbid, Kunstdüngern und zur Stahlerzeugung.

37 *Ehemaliges Pfarrhaus in Rheinböllen.* Am Neujahrstag 1814 hatte das mit blauem Schiefer beschlagene Pfarrhaus in Rheinböllen hohen Besuch. Preußische, österreichische und russische Truppen hatten in der Silvesternacht bei Kaub den Rhein überquert, um die geschlagene Armee des großen Napoleon zu verfolgen. Durch das Steegertal und über Seitenwege erreichten sie die Hunsrückhöhen, und der Befehlshaber der Preußen, Feldmarschall Blücher, bezog im damaligen Pfarrhaus Quartier. In seiner Begleitung waren Prinz Wilhelm und General Gneisenau. Hier trafen sie die Entscheidungen über das weitere Vorgehen der Truppen bis zum siegreichen Einmarsch in Paris am 31. März 1814. Heute wird Besuchern das »Blücherzimmer« gezeigt, und eine Gedenktafel am Haus erinnert an den Aufenthalt des »Marschall Vorwärts« und seiner Begleiter. Das von Bacharach über Steeg nach Rheinböllen führende Tal wird seit diesem Ereignis »Blüchertal« genannt.

38 *Blick auf Kirchberg.* Weithin grüßen von der »Stadt auf dem Berge« drei Türme, der Turm der altehrwürdigen Michaelskirche, der Turm der neuen evangelischen Friedenskirche und der Wasserturm. St. Michael war die Mutterkirche eines über 50 Dörfer und Weiler umfassenden Pfarrbezirks. Er reichte vom Lützelsoon bis zum Külzbach an die Tore Simmerns, vom Simmerbach bis zur Wasserscheide bei Altlay. Graf Emich von Sponheim, Archidiakon in Lüttich und Titularpfarrer von Kirchberg, stiftete 1317 reiche Pfründen zum Unterhalt der Kapläne und leitete so die Aufgliederung des Großbezirks ein. Unser Bild zeigt die wenig zerschnittene und nahezu waldfreie Hochfläche. Der Rücken, eine typische Verebnungsfläche, trägt Äcker und Wiesen. Seit eh und je war auf den schweren Tonschieferböden die Landwirtschaft bestimmend. Heute sind die Kümmerbetriebe des Kleinbauerntums aufgegeben, Großbetriebe haben ihre Flächen übernommen.

39 *Kirchberg, der Marktplatz.* Der Stadtgrundriß entspricht dem im Rheingebiet häufig anzutreffenden polygonalen Typ. Er ist das Ergebnis einer gleichmäßigen Ausdehnung nach allen Seiten. Mittelpunkt bildet der Markt. Die Häuser, die ihn umschließen, entstanden im 17. und 18. Jahrhundert. Bemerkenswert sind die schönen Fachwerkbauten an der Nordseite. Die Schwanenapotheke zeigt eine prächtige Giebelfront mit reich geschnitzten Fensterrahmen, das Fachwerk an dem mit einem hübschen Dachreiter gezierten Rathaus wurde im letzten Jahr freigelegt. Reiches Holzwerk und einen Erker zeigt das giebelseitige ehemalige Haus Weber. Am Hause Ecke Marktplatz-/Hauptstraße findet sich Fachwerk mit geschweiften Andreaskreuzen. Auf der Südseite verdienen Beachtung die Badische Försterei, die ehemalige Badische Gendarmerie mit der Statue des hl. Johann Nepomuk.

40 *Biebern, kath. und ev. Pfarrkirche.* In der Nähe einer alten Straße nach Senheim gelegen, entwickelte sich im

Biebertal, in dem das Kloster Fulda bereits im 8. Jahrhundert Besitzrechte hatte, früh eine Siedlung. Unter der Herrschaft des Augustiner-Chorherrenstifts Ravengiersburg wurde Biebern Mittelpunkt eines Hochgerichts und eines Gerichts über Lehen- und Dingleute der Propstei. Die beiden auf einem Hügel über dem Dorf erbauten Kirchen bestimmen das Dorfbild. Die ältere gotische katholische Pfarrkirche St. Johannes der Täufer, schon früh mit Tauf- und Begräbnisrecht ausgestattet, erhielt im 18. Jahrhundert ein barockes Schiff, das 1963 großzügig erweitert und mit modernen Buntglasfenstern ausgestattet wurde. Eindrucksvoll ist das Vesperbild aus der Zeit um 1500, eine bäuerliche Mutter mit dem Körper Christi in starrer, diagonaler Streckung. Die evangelische Kirche entstand in der Barockzeit. Die Orgel im Empirestil baute der Orgelbauer Engers aus Waldlaubersheim.

41 Dill, Malereien in der Kirche. Mitten auf dem Burgplatz stehen die 1701 erbaute kleine evangelische Kirche und das Pfarrhaus. Die Holzdecke wurde 1714 von Johann Georg Engisch ausgemalt. An der Empore der West- und Nordseite des Schiffes finden sich 16 Ölgemälde auf Holz. Ähnlichkeit besteht mit den Emporemalereien in Mülheim an der Mosel. Vermutlich haben Schüler von Engisch hier Hand angelegt. »Die recht bunt und derb wirkende Malerei ist mehr als Zeugnis lutherischer Ikonographie als ihrer künstlerischen Qualität wegen von Bedeutung« (Kunstdenkmäler des Rhein-Hunsrück-Kreises).

42 Burg Dill. Ein Adalbert von Mörsberg ist der erste uns bekannte Besitzer der Burg. Über die Erbtochter Mechtild kam sie an die Grafen von Sponheim. In allen Erbauseinandersetzungen blieb sie als Stammsitz des Geschlechts ungeteilt. Dicht um den Felsvorsprung herum lagern sich die schmucken Häuser des kleinen Dorfes. Von Graf Johann V. von Sponheim-Starkenburg erhielten die Bewohner 1427 einen Freiheitsbrief, der ihnen den Wochenmarkt und die Jahrmärkte bestätigt, Bede und Dienste abnimmt und die Selbstverwaltung stärkt. Erhalten von der Burg ist noch manches Mauerwerk. Der imposante Palas oder Wohnturm erinnert in seiner Konzeption an die Burgen des mächtigen Trierer Erzbischofs Balduin. Er war es, der 1329 während der Schmidtburger Fehde die Burg eroberte. Der Pfälzische Erbfolgekrieg brachte 1697 die totale Zerstörung und Ausraubung durch die Franzosen. Sie blieb seitdem Ruine. Neuere Ausgrabungen durch den derzeitigen Besitzer Giselher Castendyck ließen bessere Erkenntnisse zur baulichen Entwicklung gewinnen.

43 Ausoniusstraße (ehem. Römerstraße). Ihren Namen trägt sie nach dem Dichter der »Mosella«, Decimus Magnus Ausonius, der sie im Jahre 368 n. Chr. auf seiner Rückreise vom Alamannenfeldzug von Bingen bis Neumagen benutzte und beschrieben hat. Die zahlreichen vorgeschichtlichen Gräberfelder zu beiden Seiten stützen die These, daß die Trasse weitgehend älteren Wegen folgt. Sie zeichnet sich aus durch ihre gerade Linienführung. Der aufgeschüttete Straßenkörper besteht aus einer Steinstickung, an nassen Stellen aus einem Knüppeldamm und einer darüberliegenden betonharten Kieselschicht. So erweist sich diese Römerstraße als eine echte »via glarea strata«, eine Kiesstraße. Zu beiden Seiten des Straßendammes verlaufen Gräben, damit das Regenwasser abfloß. Gleichzeitig dienten sie als Verwehungsgruben bei Schneefall. Nach der Eroberung des Limes wurde sie weiter ausgebaut, an strategisch bedeutenden Kreuzungen mit Wachtürmen verstärkt und gesichert.

44 Burg Hunolstein. Abseits der großen Verkehrsstraßen liegen zwischen Osburger Hochwald und dem Idarwald das Dorf und die ehemalige Burg der Vögte von Hunolstein. Einst beherrschte sie von den schroffen Quarzitfelsen, den weißen Wacken, das Tal der Dhron und zahlreiche Rodungsorte des Hochwaldes. Der Erbauer war Graf Vollmar II. von Blieskastel, Anlaß waren Auseinandersetzungen mit dem Trierer Erzstift. Die Vögte von Hunolstein, zuerst Lehensleute, wurden durch Kauf Besitzer und Herren der Feste. Als ihre Stammlinie 1486 ausstarb, kam die Burg wieder unter trierische Lehenshoheit und wurde Verwaltungsmittelpunkt eines Amtes. Die von der Belagerung Triers zurückkehrenden Truppen Franz von Sickingens richteten große Schäden an, und Landsknechte des Dreißigjährigen Krieges vollendeten die Zerstörung. Unter Napoleonischer Herrschaft beschlagnahmt, kam sie 1815 an Preußen und durch Verkauf wiederum an einen letzten Sproß der Hunolsteiner. Zwei durch einen Rundturm verbundene Mauern sind die letzten Reste eines ehemals großen Schlosses mit Bergfried, Kapelle, Scheune, Stallungen, Schäferei, Backhaus, Küche und Hofhaus. Eine Zeitlang war die Ruine Steinbruch für die Bewohner des Dorfes. Hier holten sie das Baumaterial für ihre Häuser.

45 *Wasserburg Baldenau im Dhrontal*. Selten trifft man in einer Gebirgslandschaft eine Wasserburg. Erzbischof und Kurfürst Balduin von Trier, der in der ersten Hälfte des 14. Jahrhunderts die Geschichte zwischen Mosel, Rhein und Nahe bestimmte, wagte es, diese Befestigungsanlage auf eine Felsplatte mitten in das Tal der Dhron zu stellen und sie mit einem Wassergraben zu umgeben, der aus dem Bach gespeist wurde. Strategische Überlegungen im Kampf gegen die Grafen von Sponheim im Hunsrück-Nahe-Gebiet ließen ihn um 1320 die Burg errichten. Ganz von seiner Macht überzeugt, gab er ihr seinen Namen: Baldenau, so wie er es mit anderen von ihm erbauten Befestigungen auch tat: Balduinseck, Baldeneltz, Balduinstein, Balduinsburg, Baldenrüsse. – Ein heute noch 24 m hoher und 10,5 m dicker runder Bergfried überragt die Mauern, in denen sich Wohn- und Wirtschaftsgebäude drängten. Nachdem die Burg ihre wehrhafte Funktion verloren hatte, wurde sie im 15. Jahrhundert Mittelpunkt eines kurtrierischen Amtes, dem zahlreiche umliegende Orte unterstellt waren. In den Wirren des Dreißigjährigen

Krieges erlitt sie starke Zerstörungen und nach einem Wiederaufbau zum zweitenmal, als die Truppen Ludwigs XIV. auch andere Burgen des Hunsrücks vernichteten.

46 *Morbach am Fuße des Hochwaldes*. Eine kurfürstliche Verordnung, die dem Ort Morbach im 18. Jahrhundert vier Viehmärkte im Jahr zugestand, der Bau einer Straße von Bernkastel an der Mosel über Morbach nach Birkenfeld in den Naheraum Anfang des 19. Jahrhunderts, die 1839 erfolgte Verlegung des Bürgermeisteramtes in den Ort und schließlich der Eisenbahnbau von Simmern nach Hermeskeil im Jahre 1902 ließen Morbach zu einem wirtschaftlichen Zentrum im Hochwald werden. Die heutige Einheitsgemeinde umfaßt 18 Ortschaften mit 14 Industriebetrieben. Im 19. Jahrhundert waren es die in Tabakspinnereien erzeugten »Morbacher Strollen« (Kautabak), die den Ort weit bekannt gemacht hatten. Den größten Anteil jedoch am Wirtschaftsleben hat die Holzindustrie. Vielleicht hängt damit auch die seit über 100 Jahren in Morbach vertretene Holzschnitzkunst zusammen. Die Bildhauerfamilie Mettler mit ihrer Ornamentschnitzerei und Bildhauerkunst in zahlreichen Kirchen betreibt seit Generationen diese Handwerkskunst. – Der nahe Hochwald mit seinen ausgedehnten Wäldern und dem Wintersportgebiet Erbeskopf hat die Einheitsgemeinde Morbach zu einem wichtigen Fremdenverkehrsgebiet gemacht. Über 40 Gaststätten, 20 Hotels und 30 Pensionen stellen mehr als 700 Fremdenbetten zur Verfügung.

47 *Die Walholzkirche*. Zwischen Weiperath und Hunolstein liegt einsam in einem Talkessel die Walholzkirche, umgeben von einem Friedhof, der bis in die sechziger Jahre Begräbnisplatz dieser Gemeinden war. Seit 1228 bezeugt, war sie bis zum Beginn des Jahrhunderts Pfarrkirche der Pfarrei Hunolstein und Morscheid. Vielleicht stammt der wuchtige Turm noch aus dieser Zeit. Das jetzige Kirchenschiff entstand 1760,

der Patron war der Apostel Matthias. Eine in den siebziger Jahren durchgeführte Außenrenovierung verdeckt das zerstörte Innere. Die in einem steinernen Kreuzgewölbe aufgetretenen Risse erweiterten sich 1846 bei einem Erdbeben so, daß wenige Jahre später Einsturzgefahr bestand. Das saalartige Schiff wird von einem dreieckigen Chor abgeschlossen. Eine uralte Glocke vom Ende des 14. Jahrhunderts hängt neben zwei anderen im Turm. Gottesdienste finden hier nicht mehr statt.

48 *Thalfang.* Am Fuße des höchsten Hunsrückberges, am Rande des Hochwaldes liegt Thalfang, ein Ort mit 1500 Einwohnern. Die Häuser mit den graublauen Schieferdächern gruppieren sich um eine uralte Pfarrkirche, die bereits um 1040 erwähnt ist. Bis 1900 war sie simultan, dann entstand am Südwestrand des Dorfes eine katholische Pfarrkirche im neugotischen Stil. Thalfang bildete nach der Reformation eine evangelische Enklave im katholischen Erzstift Trier. – Eine Talevangero marca, eine der ältesten Rechtseinheiten des Mosellandes, ist bereits 1112 bezeugt. Sie kam mit dem Ort in den Besitz der Grafen von Luxemburg, von denen unter die Lehnshoheit von Trier und wurde schließlich von den Wildgrafen, den späteren Rheingrafen, vom nahen Schloß Dhronecken aus verwaltet. Die Sage sieht in diesem Schloß den Herkunftsort des Hagen von Tronje und verlegt damit die Siegfriedsage hier in den Hochwald, wo es auch einen Thranenweiher gibt, an dem Kriemhild ihren toten Helden beweinte. – Thalfang galt lange Zeit aufgrund von Messungen als der Ort mit der reinsten Luft in der Bundesrepublik. Die günstige Verkehrslage an der Hunsrückhöhenstraße mit Abzweigungen zur Mosel nach Trier und nach Idar-Oberstein an der Nahe, Sitz einer Verbandsgemeindeverwaltung mit den umliegenden Orten Deuselbach, Malborn, Horath und Dhronecken, haben ein vielbesuchtes Fremdenverkehrsgebiet entstehen lassen. – Ein bedeutendes Industrieunternehmen sind die »Hochwald-Nahrungsmittel-Werke«, die große Teile der Fleisch- und Milchanlieferung des Hunsrücks verarbeiten.

49 *Hermeskeil, Mittelpunkt des westlichen Hunsrück.* Eine Reihe von Hügelgrabfeldern aus der Latène- und Hallstattzeit um Hermeskeil weist auf eine verhältnismäßig frühe dichte Besiedlung des Hochwaldes hin. Schutz fanden die Bewohner in der nahegelegenen keltischen Fliehburg, dem Ringwall von Otzenhausen. Hermaniskellede hieß der Ort um 1220. Seit 1970 ist er mit seinen fast 7000 Einwohnern Stadt und Mittelpunkt des westlichen Hunsrücks. Mit 550 m über dem Meeresspiegel liegt er gar etwas höher als München. Hier endet die von Koblenz kommende Hunsrückhöhenstraße und befindet sich die Auffahrt zur Autobahn Trier–Saarbrücken. Die um die Jahrhundertwende gebaute Hochwaldbahn und die Bahnstrecke nach Simmern sind stillgelegt, Busse haben den Verkehr übernommen. – Neben einem Hochwaldmuseum mitten in der Stadt bietet sich das in der Nähe an der B 327 gelegene Freilichtmuseum mit einer Flugzeugschau an. Unter den 18 Originalflugzeugen befindet sich eine Ju 52, und in einem Concorde-Modell in Originalgröße ist ein Café für 100 Besucher eingerichtet. Als Schulstadt mit Frei- und Hallenbad und Garnisonsstadt in der Mitte von zwölf Ortsgemeinden hat Hermeskeil eine zentrale Funktion. Im nahen Reinsfeld, am Rande des Osburger Hochwaldes, wurde ein Campingplatz mit 800 Stellplätzen angelegt.

50 *Das alte Rathaus von Rhaunen.* Das massive Erdgeschoß besitzt einen Türsturz in Eselsrückenform mit der Jahreszahl 1723. Das verschieferte Fachwerkobergeschoß ruht an der Straßenseite auf vier starken Rundpfeilern, wodurch das Gebäude architektonisch zu einem sonst auf dem Hunsrück selten anzutreffenden Laubenhaus wird. Die Lauben dienten vor allem als Verkaufsräume, aber auch zur Bekanntgabe neuer Verordnungen. Das Rathausdach in Rhaunen trägt einen hübschen Glockenstuhl mit geschweiftem Helm.

Als Mittelpunkt eines ausgedehnten Hochgerichts hatte Rhaunen einige treffliche Adelshäuser, den Wildgräflichen Hof, das spätere Oberamtshaus, und den Hof der Haller von Esch.

51 Rhaunen, Orgel in der evangelischen Pfarrkirche St. Martin. Diese Orgel stammt aus der 1720 gegründeten Werkstatt des Johann Michael Stumm. Sie gilt als »Urmutter«, weil sie als drittes Werk erste künstlerische Maßstäbe setzte. Der Orgelprospekt ist siebenteilig, hat verschlungenes, unterbrochenes Akanthuslaubwerk in den Zwickeln und an den Flügeln. Die Stumms stammen aus dem benachbarten Rhaunen-Sulzbach. In sechs aufeinanderfolgenden Generationen schufen sie 370 Werke, sie zählen damit zu den bedeutendsten Orgelbauerfamilien Deutschlands. Von den zahlreichen Meisterwerken seien hier nur einige genannt: in der Kiche zu Münstermaifeld, in der Stiftskirche St. Kastor zu Karden, in Schwarzrheindorf bei Bonn, in der Abteikirche zu Sayn, in Karlsruhe-Durlach, in der Katharinenkirche zu Frankfurt, in der Friedenskirche zu Worms, in der Ludwigskirche zu Saarbrücken, in der Schloßkirche zu Kirchheimbolanden und in der Abteikirche zu Amorbach.

52 Stipshausen, Malereien in der ev. Pfarrkirche. Die Malereien im Gotteshaus zu Stipshausen gelten als die reichsten und besterhalten einer Hunsrückkirche überhaupt. Ihre Rettung, Freilegung und Restaurierung verdanken sie dem Nürnberger Kirchenmaler und Restaurator Willi Diernhöfer. Die aus der Erbauungszeit (1772–1779) stammenden Ölmalereien an Presbytergestühl und Kanzel konnten in mühseliger, monatelanger Arbeit (1955/56) wieder freigelegt werden. An der freiwerdenden Kanzelwand kam ein lebensgroßes Lutherbild, nach dem Holzschnitt von Lukas Cranach von einem unbekannten Meister angefertigt, zutage. Die Malereien des Chorraumes mit den drei Deckenfeldern sind mit denen an Altar, Kanzel und Presbytergestühl zu einem geschlossenen ikonographischen Gesamtprogramm komponiert: das Leben und Leiden Christi als Heilsgeschichte. Die Füllbretter auf der Emporebrüstung der gegenüberliegenden Westseite sind ausgemalt mit »Christus Salvator« inmitten der zwölf Apostel.

53 Wildenburg bei Kempfeld. Der neu errichtete Aussichtsturm eröffnet eine Rundsicht, wie sie großartiger das Wildenburger Bergland kaum zu bieten vermag. Nach Norden blickt man über das Hochtal von Kempfeld und Schauren zum Idarwald, der seine höchste Erhebung »An den zwei Steinen« (765 m) hat, im Westen steigt über dem Idarbachtal der Hochwald mit dem Erbeskopf auf. Im Nordosten verliert sich der Blick in der Hochfläche des Hunsrücks, und in der blauen Ferne grüßen die Türme des hochgelegenen Kirchberg. Im Süden reicht die Sicht über das Nahetal bis hin zum Pfälzer Bergland. Gleich westlich der Wildenburg ließ der Hunsrückverein 1966 ein 42 ha großes Wildfreigehege errichten. Über 200 Tiere, z. T. sonst in Hunsrückwäldern freilebende Arten, können hier aus nächster Nähe beobachtet werden.

54 Wildenburg, rekonstruierte Keltenmauer. Auf dem südlichen Idar-Hochwald-Zug erheben sich auf felsigen Kuppen vier vorgeschichtliche Höhenburgen, das spätkeltische Oppidum bei Otzenhausen, das »Vorkastell« bei Börfink, der Ringskopf bei Allenbach und die Wildenburg. Die Menschen der Latènezeit haben im 5. vorchristlichen Jahrhundert auf dem Quarzitfelsen des Wildenburgerkopfes eine Ringwallanlage gebaut. In Trockenbauweise mit Steinen und Holz wurde die Mauer aufgeführt, die senkrechten Frontpfosten mit den waagerechten Querhölzern zusammengefügt, auf der Mauerkrone ein Palisadenschutz mit Wehrgang konstruiert und die Tore gesichert. In kriegerischen Zeiten benutzten die Bewohner des Umlandes die Wallanlage als Zufluchtsstätte. Für eine Dauerbesiedlung scheint das Gelände ungeeignet gewesen zu sein. Im 14. Jahrhundert errichteten die Wildgrafen auf dem

Bergrücken eine Burganlage, die im 17. Jahrhundert schwer beschädigt und niedergebrannt wurde. Sie blieb Sitz eines Amtmannes. Heute sind Burg und Burggelände Eigentum des Hunsrückvereins, der hier eine neue Heimstätte gefunden hat.

55 *Das Allenbacher Schloß.* Der Name der alten sponheimischen Burg ist »Ellenbach«. Sie wurde wohl als Grenzburg gegen Kurtrier errichtet. Grabungen haben ergeben, daß sie ursprünglich als Wasserburg erbaut wurde. Sonst haben die Ereignisse der Frühzeit der Burg in den Quellen wenig Niederschlag gefunden. Die vorbeiziehende »Pfaffenstraße« hat als alte Grenzstraße zwischen Kurtrier und Sponheim zu langwierigen, aktenfüllenden Prozessen geführt. 1528 errichteten die Herzöge von Zweibrücken, die Erben der Sponheimer, ein Amtshaus, das heutige Schloß. Die Ecksteinfassungen bestehen aus kräftigen, regelmäßigen Bossensteinen, auffallend an der Frontseite ein dreieckiger Treppenturm, über dessen Eingang eine vorgekragte Pechnase angebracht ist. Auf ihr findet sich das Wappen der Gemeinsherren, Sponheim, Pfalz-Zweibrücken und Baden, eingemeißelt.

56 *Herrstein, Amtshaus und Schinderhannesturm.* Wir befinden uns im mittelalterlichen Burgbezirk, in der Nordecke der ehemaligen Stadtbefestigung. Als alter Besitz der Grafen von Sponheim-Starkenburg hatte Herrstein 1428 einen Freiungsbrief erhalten; danach leiteten die Bürger eine städtebauliche Entwicklung ein. Im alten Schloß nahm der Amtmann seine Wohnung. Als es 1737 einstürzte, entstand an gleicher Stelle das barocke Amtshaus (Oberförsterei). Der sog. Schinderhannesturm mit seinem hübschen Bogenfries und den liegenden Schießscharten ist Teil der alten Stadtbefestigung. Im 19. Jahrhundert diente er als Amtsgefängnis. Im Sommer des Jahres 1798 setzten französische Gendarmen hier den berüchtigten Räuberhauptmann Johannes Bückler für eine Nacht hinter Schloß und Riegel. Seit dieser Zeit führt er den Namen

»Schinderhannesturm«. In einer beispielhaften denkmalpflegerischen Aktion begann Herrstein vor zehn Jahren den historischen Ortskern wieder aufzuarbeiten. Der Anfang wurde mit der Restaurierung der Türme und Stadtmauer gemacht, dann folgte die Freilegung der Fachwerkfassaden fast aller Bürgerhäuser, die im Zeitraum zwischen 1600 und 1800 entstanden sind.

57 *Skilanglauf auf den Höhen des Hunsrück.* Wenn sich die Hunsrückwälder unter der Last von Schnee und Eis beugen, wird es an einigen Berghöhen und deren Hängen lebendig. An Wochenenden tummeln sich Hunderte von Wintersportlern auf den Pisten an Erbeskopf (816 m) und Idarkopf (750 m) oder aber unternehmen über die Höhen auf wohlgespurten Loipen Skilanglauf und Skiwanderungen, vorbei an schneebehangenen Fichten und durch tiefverschneite Wälder.

58 *Eisenbahnviadukt bei Hoxel.* Als man am Ende des 19. Jahrhunderts begann, den Hunsrück von der Nahe und von der Mosel her mit Eisenbahnlinien zu erschließen, traten nicht wenige geländebedingte Hindernisse auf. Bei Hoxel im Hochwald zwang eine besonders tiefe Schlucht die Ingenieure zu einem kühnen Brückenbauwerk. Einem römischen Aquädukt ähnlich überspannt die aus roten Ziegelsteinen gemauerte Talbrücke in mehreren Bögen die bewaldete Schlucht. Im Zweiten Weltkrieg durch Bomben zerstört, dauerte es einige Jahre, bis die Strecke zwischen Morbach und Hermeskeil wieder in Betrieb genommen werden konnte. Inzwischen ist sie, wie überhaupt alle Hunsrücker Eisenbahnstrecken, für den Personenverkehr stillgelegt.

59 *Kath. Pfarrkirche in Züsch.* Züsch ist eines der sogenannten »Hüttendörfer« des Hochwaldes, wo seit dem Ende des 17. Jahrhunderts eine Eisenindustrie zahlreiche wallonische Hüttenarbeiter anlockte. Sie siedelten in den Orten Züsch, Damflos, Abentheuer, Neuhüt-

ten und Zinsershütten. – Die Familie Hauzeur, der 1696 vom Vogt von Hunolstein die Errichtung eines Eisenwerkes in Züsch aufgetragen war, erwirkte gleichzeitig die Genehmigung zum Bau einer Holzkapelle im Bereich der Eisenhütte, der »Schmelz«. Sie war jedoch auf die Benutzung durch seine Familie, seine wallonischen Hüttenarbeiter und die Köhler beschränkt. – An der Stelle der baufällig gewordenen Holzkirche entstand von 1780 bis 1784 eine dem St. Antonius von Padua geweihte neue Kapelle, die 1849 und 1911 umgebaut, erweitert und im Sinne des Neubarock gestaltet wurde. Das dreischiffige Gotteshaus mit den welschen Hauben auf den Türmen zeichnet sich durch prächtige Stuckarbeiten, einen Barockaltar und einen auf Zinkplatten gemalten Kreuzweg im Innern aus.

60 *Kell am See.* Ein 14 ha großer Stausee, das Feriendorf »Hochwald« mit 163 spitzgiebeligen Häusern und 940 Betten werben für den Ort Kell am Osburger Hochwald. Ein Kurhotel, neun andere Hotels in den umliegenden Ortschaften und zwei Campingplätze laden zur Erholung ein. Sportliche Freizeitangebote reichen von Windsurfing über Tretbootfahren, Wandern, Klettern, Minigolf bis zum Schwimmen im Hallen- und Freibad. Auch ein Wildfreigehege und ein Museum gibt es. Im Winter sorgen gespurte Loipen für Skilanglauf.

61 *»Pfingstkrone« in Kleinich.* Auf frühromanischen, vielleicht sogar auf römischen, Fundamenten steht die vom zweibrückisch-herzoglichen Baumeister Friedrich Gerhard Wahl in Form eines griechischen Kreuzes errichtete Kleinicher Kirche. Sie ist Mittelpunkt eines protestantischen Kirchspiels inmitten des Bistums Trier. In Kleinich und den dazugehörigen Orten hat sich ein alter Pfingstbrauch erhalten. Schulkinder sammeln von Ostern an ausgeblasene Eier, malen sie bunt an und reihen nach einem vorgegebenen Muster 900–1100 Eier auf Schnüren zu einer sogenannten »Pfingstkrone«. Es entstehen zwei große, dem Schmetterling ähnliche Flügel, in deren Mitte ein mit bunten Bändern geschmückter, strohgeflochtener Bienenkorb, die eigentliche Krone, hängt. Mitten in den Kirchspieldörfern, an der Straße oder wie hier in Kleinich vor der Kirche, errichten Männer in der Nacht vor dem Pfingstfest zwei hohe Fichtenstämme, zwischen denen die Eierkrone gespannt wird. Die Kinder sind ebenfalls dabei, und welches von ihnen zuletzt bei dieser nächtlichen Aktion eintrifft, ist für die nächsten Tage der »Pfingstquack«, ein uralter Fruchtbarkeitsgeist. Auch die Eierketten mit dem Korb der emsigen Bienen stellen Fruchtbarkeitssymbole dar.

1 Kastellaun, zentraler Ort im nördlichen Hunsrück. Im Vordergrund die Ruine der ehemals stolzen Burg (erbaut 14. Jh.)

2 Mörz. Hochaltar der Wallfahrtskirche Mariä Himmelfahrt

3 Eines der im nördlichen
Hunsrück weitverbreiteten
Wegekreuze bei Mörsdorf

4 *Reizvoller Blick im Herbst über den Mosel-Hunsrück bei Eveshausen*

5 *Burg Balduinseck auf einem Felsen über dem romantischen Mörsdorfer Bachtal*

6   Fernab von allem Verkehr am Steilhang des fast unzugänglichen Baybachtals: Burg Waldeck, beliebter Treffpunkt von Jugend-
und Folkloregruppen

54

7   *Blick auf Emmelshausen*

8 *Emmelshausen, anerkannter Luftkurort, hat einen wunderschönen Kurpark*
9 *Ein besonders schönes mit Schiefer beschlagenes Haus in Womrath*

58

10   Typisches Hunsrücker Fachwerkhaus in Neuerkirch

11   Blick auf Simmern mit barocken Türmen und dem klassizistischen »Neuen Schloß«

12 *Simmern. In diesem Turm war 1799 der Räuberhauptmann »Schinderhannes« ein halbes Jahr in Gefangenschaft*
13 *Simmern. Das »Neue Schloß«, erbaut 1708–1712*

14   Simmern. Bauernstube in der volkskundlichen Abteilung des Hunsrücksmuseums

15 Simmern. Grabmal von Herzog
Johann I. in der Stephanskirche

16 Simmern. Die kath. Pfarrkirche St. Joseph, 1749–1752
im Barockstil erbaut

17 *Blick auf das Dorf Horn auf der Hunsrückhochfläche*

18   *Ravengiersburg im Simmerbachtal. Die Klosteranlage beherrscht das Dorf*

19 Ravengiersburg. Die Westfront der Klosterkirche hat als einziger Bauteil Kriege und Brandkatastrophen überstanden

20 Unter uralten Linden steht die Nunkirche (erbaut um 1000) bei Sargenroth
21 Nunkirche. Die Wandfresken, 1896 entdeckt, stammen aus dem 13./14. Jh.

Umseitig:
22 Blick auf Mengerschied. Im Hintergrund der Soonwald
23 Gemünden. Romantische Partie am Simmerbachwehr. Im Hintergrund die Schloßanlage, erbaut 1718–1721

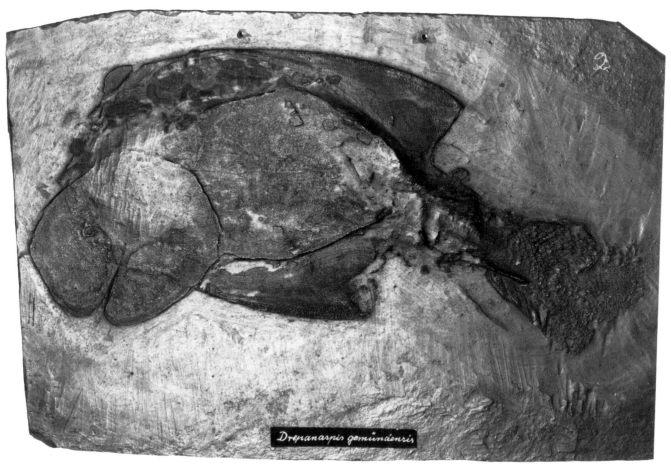

Drepanaspis gemünaensis

Helianthaster rhenanus

24 a und b   Fossilien aus den Schiefergruben von Gemünden und
Bundenbach: Panzerfisch und Seestern

25   Gehlweiler. Die alte Brücke aus dem 18. Jh., über die
die niederländische Poststraße Innsbruck–Mecheln führte

26   Gehlweiler. Das kleine
malerische Gemeindebackhaus

27   Gemünden. Am Geologischen Hunsrück-Lehrpfad

28 Blick ins Simmerbachtal
mit Schlierschied und Gemünden

29 Bergfried der Burgruine Koppenstein,
ein herrlicher Aussichtsturm. Im Vordergrund einer der mächtigen Gipfelquarzite
des Soonwaldes

30 *Denkmal des Jägers aus Kurpfalz an der Straße Gemünden–Bad Kreuznach*

31 *»Hirsch tot«*

32 Herbstwald
33 Zahlreiche Orchideenarten wachsen an Hängen und auf einsamen Waldwiesen

36 Die Stromberger Kalkwerke
37 Rheinböllen. Im ehemaligen Pfarrhaus erinnert ein Zimmer an den Besuch Blüchers im Jahre 1814
Vorhergehende Seiten:
34 Bis heute betreiben noch einige Familien in den Soonwalddörfern das Töpferhandwerk
35 Stromberg, gern besuchter Luftkurort, in einem von Wald umrahmten Talkessel

84

38 Blick auf Kirchberg, die »Stadt auf dem Berge«, mit den drei markanten Türmen
39 Kirchberg. Der Marktplatz, umrahmt von malerischen Fachwerkhäusern

87

40 Biebern. Eng beieinander stehen die kath. gotische Pfarrkirche und die ev. Kirche aus der Barockzeit
41 Dill. Farbenfrohe Malereien in der kleinen ev. Kirche: Das Gleichnis vom guten Hirten und der Drachmensucherin

42 Burg Dill, Stammburg der Grafen von Sponheim, wurde im Pfälzischen Erbfolgekrieg 1697 total zerstört
43 Die ehemalige Römerstraße, nach dem römischen Dichter Decimus Magnus Ausonius »Ausoniusstraße« genannt

Vorhergehende Seiten:
44 Dorf und Burg Hunolstein,
abseits der großen Verkehrsstraßen
zwischen Osburger Hochwald und
Idarwald gelegen
45 Die Wasserburg Baldenau im
Dhrontal, erbaut um 1320

46 Morbach ist wirtschaftlicher
Mittelpunkt des Hochwaldes

47 Zwischen Weiperath und
Hunolstein steht die romantisch
gelegene Walholzkirche, umgeben
von einem Friedhof

48 Die neugotische Pfarrkirche in
Thalfang, am Fuße des Hochwaldes

49 Hermeskeil, Mittelpunkt des
westlichen Hunsrück

50 Das alte Rathaus von Rhaunen, erbaut 1723

51 Rhaunen. In der ev. Pfarrkirche steht eine der ersten Or-
geln der berühmten Orgelbauer-
dynastie Stumm

52   Stipshausen. 1955/56 wurden die Malereien aus der Erbauungszeit (1772–1779) freigelegt und restauriert

53 Der neuerrichtete Aussichtsturm auf der Wildenburg bei Kempfeld

54 *Wildenburg. Die rekonstruierte Keltenmauer*

55   Das Allenbacher Schloß, erbaut 1528 von den Grafen von Zweibrücken

56 *Herrstein. Der Marktplatz mit restaurierten Fachwerkhäusern, dahinter der sog. Schinderhannesturm*
57 *Skilanglauf im Hochwald*

58   Der Eisenbahnviadukt bei Hoxel, ein kühnes Bauwerk des 19. Jh.

59   Die kath. Pfarrkirche in Züsch wurde 1911 im Stil des Neubarock umgebaut und erweitert

60   Kell am See bietet viele
Erholungs- und Freizeitmöglich-
keiten

61   »Pfingstkrone« in Kleinich

Im Rheintal

»Rhein, herrlicher Strom, grüne Auen, winkelige Dörfer und Städt«, so liest es sich in Clemens Brentanos romantischen Betrachtungen, und er fährt fort: »Rauschen der Wellen, Raunen von Sagen, Klang der Lieder des rheinischen Volkes und Lachen aus Mädchenkehlen«. Ernst Moritz Arndt, Ludwig Tieck, Max von Schenkendorf, Achim von Arnim, Karl Simrock und der junge Goethe, sie alle haben der Rheinromantik ihre Reverenz erwiesen, schrieben Berichte, Briefe, Verse, Gedichte, Reime und Lieder in unermeßlicher Zahl. Joseph von Görres meinte in seiner Jugend: »Dieser Rhein fließt wie Blut in den Adern, und ich gedeihe nicht recht, wo ich seine Luft nicht wittere«, und Francesco Petrarca, der Dichter und Humanist des 14. Jahrhunderts, schrieb: »Ich begreife euch, ihr glücklichen Anwohner des Stromes, der all euer Leid hinwegschwemmt.« Heinrich von Kleist erging sich in Superlativen beim Anblick des Tals: »Der schönste Landstrich von Deutschland, an welchem unser großer Gärtner con amore gearbeitet hat, sind die Ufer des Rheins von Mainz bis Koblenz. Das ist eine Gegend wie ein Dichtertraum, und die üppigste Phantasie kann nichts Schöneres erdenken.« Dieses so gepriesene und verherrlichte Mittelrheintal zwischen Bingen und Koblenz begrenzt den Hunsrück nach Osten. Millionen von Besuchern bezeugen, daß hier eine der schönsten Flußstrecken der Erde ist. Weinterrassen in Steilhängen, Burgen auf schroffen Felsen, Königs- und Fürstensitze, Raubritternester, sagenumwobene Zollburgen mitten im Rheinstrom, Weinorte, Weinlieder, Loreley und im Sommer das herrliche Schauspiel vom »Rhein in Flammen«, wen sollte das nicht locken?

In mühevoller, viele Jahrtausende dauernder Arbeit bahnte sich der Strom einen Weg durch die Barriere des Rheinischen Schiefergebirges, das seinen langen Lauf vom Alpenmassiv hemmte und das weite Mainzer Becken zu einem See machte. Hier bei Bingen wurde ihm die schwierige Aufgabe zuteil, das Urgestein von Grauwacke und Schiefer langsam zu zernagen, wegzuschleifen, einzukerben, bis aus der breiten Bergmasse die tiefe Rinne ausgemeißelt war, die heute das Strombett bildet und den Taunus im Osten vom Hunsrück im Westen trennt. Nicht in einem einzigen Kraftakt vollzog sich diese Arbeit, vielmehr in Schüben, wobei jedesmal eine Terrasse zurückblieb. Die oberste nennen die Geologen die Hauptterrasse. Sie liegt etwa 100–150 m tiefer als die ansteigende Hunsrückhochfläche und ist mit den Verwitterungsböden aus Grauwacke und devonischem Schiefer bedeckt. Sie bilden für Äcker, Gärten und Obstbauanlagen günstige Voraussetzungen. Weniger ausgeprägt ist die Mittelterrasse, auf deren vorspringenden Nasen die

Burgen stehen. Als schmales Band zieht sich die Niederterrasse am Strom entlang und bietet kleinen Dörfchen und Städtchen geringen Raum, zumal sie auch noch die verkehrsreiche Bundesstraße 9 und den stark befahrenen Schienenstrang tragen muß, auf dem ununterbrochen Personen- und Güterzüge in beiden Richtungen rollen. Das unterste Stockwerk schließlich ist die Inselterrasse mit den aus dem Flußbett herausragenden Klippen, auf denen sich der Bingener Mäuseturm und bei Kaub der Pfalzgrafenstein angesiedelt haben, ehemals einträgliche Zollburgen, die die vorüberfahrenden Kaufleute schröpften und ihren Besitzern beachtliche Gewinne einbrachten.

Aus diesem cañonartigen Mittelrheintal mit einer durchschnittlichen Breite von etwa 500 m, die allerdings an dem Loreleyfelsen auf 150 m zusammenschrumpft, steigen schroffe Hänge zur Hunsrückhochfläche empor. Nur wenig Raum ist hier auf der sonnenabgewandten Seite für den Weinbau. Darum wird jede Taleinbuchtung zum Gebirge hin mit einem Sonnenhang zum Anbau der köstlichen Rieslingtraube genutzt, denn Weinbau ist ein wesentlicher Wirtschaftsfaktor. Rheinwein von sonnendurchglühtem Schiefergestein, stahlig, kernig, nervig, blumig und fruchtig ist zu einem Begriff in der ganzen Welt geworden. Nicht umsonst drängten sich bereits vor Jahrhunderten geistliche und weltliche Herren zu den Weinbergslagen am Mittelrhein. In einer Beschreibung des 18. Jahrhunderts heißt es über Bacharach: »Köstlicher Wein wächst auf dem Schiefergestein, darunter sind Steinkohlen und eine Erdölquelle. Papst Pius II. hat sich jedes Jahr ein Faß Wein nach Rom führen lassen.« Bacharach war einst die Metropole des gesamten Weinhandels am Rhein. »In Bacharach am Rhein, zu Klingenberg am Main, zu Würzburg an dem Stein wachsen die besten Wein.« Hingewiesen wird mit diesem Vers auf das Umladen und Stapeln der Weine, die mit kleineren Schiffen aus dem süddeutschen Raum hierhergebracht und auf größere Schiffe umgeladen wurden. Die dabei anfallenden Zollabgaben waren so hoch, daß sie neben denen am Pfalzgrafenstein bei Kaub »guldener Zoll« genannt wurden.

Wenn heute bei fröhlichen Wein- und Winzerfesten die Pokale klingen, dann ahnt wohl keiner von den Zechern etwas von dem Arbeitsaufwand und der Mühe in den Steillagen der Rebenhänge. Längst wird das »Lachen und Singen der Winzer und Winzerinnen« vom Motorenlärm unseres Jahrhunderts übertönt. Werbegemeinschaften, lieblich lächelnde Weinköniginnen, die den edlen Rebensaft mit launigen Versen kredenzen, Wein- und Winzerfeste, Weinmärkte mit Musik und Folklore gehören zum Absatzgeschäft auf dem stark konkurrierenden europäischen Weinmarkt, wobei marktwirtschaftliche Gesichtspunkte vor Wein- und Rheinromantik rangieren.

Der Rhein, verkehrsreichster Strom Europas, konnte nicht zu allen Zeiten so problemlos befahren werden, wie das heute der Fall ist. Da gab es an zahlreichen Stellen gefährliche Stromschnellen und Klippen, Strudel und Riffe. Schiffe und Menschen fielen ihnen zum Opfer, Schicksale, die in der Sage von der Jungfrau auf der Loreley ihren Niederschlag fanden und die Heinrich Heine sein unsterbliches Lied »Ich weiß nicht, was soll es bedeuten« dichten ließen. Zwar transportierten bereits die Römer ihr Getreide zu den Garnisonen hinter dem Limes und brachten Mühlsteine und Baumaterial aus der Eifel stromaufwärts, doch schon die Normannen mußten bei ihren Kriegszügen mit den Drachenschiffen vor den Stromschnellen des Binger Lochs kapitulieren, denn dort stürzte der Rhein zu dieser Zeit wie ein Wasserfall in ein tiefer gelegenes Bett. Schon Karl der Große, der Vater des Main-Donau-Kanals, versuchte Abhilfe zu schaffen, doch gelang dies erst in der Neuzeit mit Hilfe von Sprengungen. Im Takt schlugen die Ruderknechte, wenn sie im Mittelalter die Lastschiffe zu Tal fuhren, und schwer zogen Pferde und Menschen über Lein- und Treidelpfade die Frachtschiffe stromauf. Die mit reichen Waren beladenen Schiffe lockten weltliche und geistliche Herren, aber auch raubgierige Ritter an den Rhein, die sich auf schroffen Felsen uneinnehmbare Burgen bauten und sich von dort aus durch Erhebung von Zöllen die Taschen füllten.

Als ein niederländisches Dampfschiff erstmals seine Schaufelräder in den Fluten des Rheines drehte, begann eine neue Dimension im Verkehr. Annette von Droste-Hülshoff erlebte diese Schiffe als »etwas Imposantes, aber auch Fürchterliches, das einer Höllenmaschine glich«. Heute ist das Tal erfüllt von dem Tuckern der Motorschiffe, von radargesteuerten Passagierschiffen mit Tausenden von Touristen aus aller Herren Länder, von riesigen Schubschiffen, die die Frachten der Anrainerstaaten von Süd nach Nord und von Nord nach Süd transportieren. In trockenen Jahren, wenn auf den Felsterrassen ein besonders guter Wein heranreift, sinkt das Wasser des Stromes so sehr, daß »Hungersteine« zutage treten und die Schiffahrt gefährden. Andererseits lassen starke Regenfälle den Fluß so anschwellen, daß reißende Wasser die Uferstraßen überschwemmen und Dörfer und Städtchen überfluten.

Als die Römer dem Vordringen der Germanen weichen mußten und gegen Ende des 3. Jahrhunderts ihren Grenzwall, den Limes, aufgaben, wurde der Rhein wieder Grenzfluß. Von Bingen nach Koblenz führte über die Hunsrückhöhen eine Straße für Truppen, Kuriere und Kaufleute. Dann aber überschritten fränkische Stämme den Strom, und der Mittelrhein kam unter ihre Herrschaft. Lange Zeit war das Gebiet Kernland des Reiches, nachdem das fränkische Mittelreich 870 erneut geteilt worden war. Schon sehr früh gingen jedoch Teile des Reichsgutes an die drei geistlichen Kurfürsten in Mainz, Köln und Trier. Kaiser Maximilian I. nannte deshalb den Rhein einmal »die Pfaffenstraße des Heiligen Römischen Reiches«. Die Übernahme der Pfalzgrafschaft 1156 durch Konrad von Staufen, die Inbesitznahme dieser Herrschaft durch den Sohn Heinrichs des Löwen, der die staufische Erbtochter Agnes auf Burg Stahleck heimlich heiratete, ließ eine vierte politische Kraft am Mittelrhein entstehen. Schließlich griffen die Grafen von Katzenelnbo-

gen von Osten her über den Rhein in den Kampf um die Rheinzölle ein und errichteten 1245 über St. Goar die mächtige Feste Rheinfels.

Bei Bingen, wo sich die Nahe in den Rhein ergießt und wo einst die hl. Hildegard als Äbtissin dem untergegangenen Kloster Rupertsberg vorstand, schuf sich das Erzbistum Mainz mit einem Kranz von Burgen die Machtbasis über Zölle und Stapelrecht zwischen Süddeutschland, der Pfalz, dem Naheland und dem norddeutschen und niederländischen Raum. Da stand über Bingen auf einem Felsen die Burg Klopp, am jenseitigen Ufer erhob sich Burg Ehrenfels und mitten in dem Strom an den Riffen und Strudeln des Binger Lochs war ein Maut- oder Zollturm errichtet, dem die Sage später den Namen Mäuseturm gab. Wenige Kilometer stromab kauften die Mainzer die auf schmalem Felsgrat gelegene Vautzburg. Sie wurde, nachdem sie im 19. Jahrhundert in den Besitz der Hohenzollern gekommen war, nach Plänen Karl Friedrich Schinkels von dem rheinischen Architekten Johann Claudius von Lassaulx ganz im Sinne romantischer Burgenvorstellungen wieder aufgebaut und erhielt den Namen Rheinstein.

Die Reise führt weiter durch eine Landschaft voll von geschichtlichen Ereignissen, voller Sagen und geschmückt mit wertvollen Bauten und Denkmälern. Unmittelbar am Strom steht die Basilika des heiligen Clemens, Schauplatz einer gräßlichen Hinrichtung aufsässiger Ritter, die von der Burg Sooneck ihre Raubzüge unternahmen. Beim Winzerdorf Trechtingshausen mündet der aus dem Bingerwald durch ein romantisches Tal fließende Morgenbach, und über dem Ort ragt die Feste Falkenburg oder Reichenstein. Der Rittersaal, wertvolle Inneneinrichtungen und Jagdtrophäen lohnen einen Besuch. In der Nachbarschaft wurde Sooneck als Vorburg errichtet, sie trägt den Namen des hier auslaufenden Soonwaldes. Der nächstfolgende Ort Niederheimbach ist durch seinen im Wald liegenden Märchenhain und durch die Heimburg bekannt geworden, mit der die Mainzer Erzbischöfe dem nach Süden strebenden Pfalzgrafen einen Riegel vorschoben. An der Grenze von Kurmainz liegt die Burgruine Fürstenberg, zuerst im Besitz der Kölner Erzbischöfe, danach der Kurpfalz zugesprochen, zusammen mit Stahlberg über Steeg und Stahleck über Bacharach Schutz und Schirm des sogenannten »Viertälergebiets«. Sie wurde ein Opfer des Pfälzischen Erbfolgekriegs.

Bacharach, eine alte Siedlung am Rhein, seit 1360 mit Stadtrechten belehnt, war in ganz Deutschland durch seine Weinmärkte bekannt. Päpste, bremische und mitteldeutsche Kaufleute erhielten von hier den Wein. Tortürme, Mauerreste, uralte Bürgerhäuser in malerischen Gassen und Winkeln, die gotische St.-Peters-Kirche und 100 Treppenstufen darüber die rotleuchtende Ruine der Wernerkapelle, bestimmen das Bild dieses mittelalterlich anmutenden Städtchens. Ein zum Hunsrück hinaufführendes Seitental trägt den Namen des Feldmarschalls Blücher, der hier mit seinen Truppen die geschlagene Armee Napoleons verfolgte.

Einen Höhepunkt der Rheinreise bietet das Stadtbild von Oberwesel, im 3. Jahrhundert Station an der römischen Militärstraße zwischen Bingen und Koblenz. Ein fast geschlossener Mauerring mit zahlreichen Türmen weist auf eine Stadt hin, der man schon um die Mitte des 13. Jahrhunderts die Reichsunmittelbarkeit bestätigt hatte. Kaiser Heinrich VII. verpfändete Oberwesel an seinen Bruder, den Erzbischof Balduin von Trier, der sich anschickte, seinen Machtbereich auch auf den Mittelrhein auszudehnen. Im Kampf zwischen Trier und dieser Reichsstadt, dem »Weseler Krieg«, wurden zum erstenmal Pulvergeschütze eingesetzt. Das Kleinod von Oberwesel ist die gotische Liebfrauenkirche, auch »Rote Kirche« genannt. Ein Kontrapunkt bildet die als »Weiße Kirche« bezeichnete St.-Martins-Kirche mit ihrem schweren zinnenbesetzten Wehrturm. Hoch über der Stadt und dem Tal der Enghöll thront die mächtige Schönburg auf schmalem Felsgrat.

Der nächste Ort am linken Rheinufer ist St. Goar, das seinen Namen von einem im Jahre 600 dort wohnenden Einsiedler hat. Im Mittelalter besaßen die Grafen von Katzenelnbogen dort den Rheinzoll. Zu seinem Schutz bauten sie die Feste Rheinfels, die im Lauf der Zeit zu einer der größten und mächtigsten Burganlagen emporwuchs. Hier in St. Goar ist der internationale Hansenorden zu Hause, eine Gemeinschaft, die im Sinne früherer Städtebünde mittelalterliches Brauchtum pflegt und bewahrt. Auf der Weiterreise kommen nun die Orte Hirzenach mit einer Benediktiner-Propsteikirche und Bad Salzig, ein bekannter Kurort mit Glaubersalzquellen. Boppard, das einstige römische Kastell Baudobriga, wurde bereits unter den Karolingern mit einem Königshof Mittelpunkt des »Bopparder Reichs«. Immer wieder war die spätere freie Reichsstadt Treffpunkt der Kurfürsten zu Beratungen über die Königswahl. Gleicherweise war sie Handelsobjekt an der mittelalterlichen Börse, so 1312, als Kaiser Heinrich VII. seinem Bruder, dem Erzbischof Balduin von Trier, die reichen Zolleinnahmen von Boppard und Oberwesel verpfändete. Als sich die freien Bürger der Stadt gegen diesen Herrn auflehnten, ließ er sie seine Macht und seinen Zorn spüren. Nach einer Belagerung erstürmten seine Truppen die Mauern, unterwarfen die Bewohner und beherrschten sie in der Folgezeit von einer Zwingburg, die noch heute mit einem wuchtigen Turm und trutzigen Mauern aus der Rheinfront hervorsticht. Im Stadtbereich stehen Reste des alten Römerkastells und Bruchstücke der mittelalterlichen Stadtmauer mit verschiedenen Tortürmen. Auf römischen Fundamenten ist die katholische Pfarrkirche St. Severus errichtet. Weitere bedeutende Bauten sind das ehemalige Karmeliterkloster, heute Sitz der Stadtverwaltung, und die evangelische Martinskirche, an deren Planung König Friedrich Wilhelm IV. von Preußen mitwirkte. Der Deutsche Orden hatte hier das Templerhaus, und über der Stadt stehen die Nachfolgebauten vom alten Kloster Marienberg.

Am Bopparder Hamm vorbei erreicht der Rheinstrom die Orte Spay, Brey und Rhens. Sie zeichnen sich durch besonders schöne Fachwerkbauten aus. Unter ihnen erhielt Rhens besondere Bedeutung durch seine Lage zwischen den Machtsphären von Kurpfalz, Kurköln und Kurtrier. Hier bildeten die sieben Kurfürsten des Reiches im Jahre 1338 den »Kurverein«, hier wurde ein Königsstuhl errichtet und von König Ruprecht erstmals bestiegen, im Lauf der Jahrhunderte oft zerstört und immer wieder neu aufgebaut. Weltbekannt aber wurde Rhens durch seine Mineralquellen. Wenige Kilometer rheinabwärts eine letzte Burg, Schloß Stolzenfels. Anfang des 13. Jahrhunderts entstand sie zum Schutz der trierischen Rheinzölle. Stolzenfels, Geschenk der Stadt Koblenz an den preußischen Kronprinzen, den späteren König Friedrich Wilhelm IV. und nach den Plänen von Karl Friedrich Schinkel vom Baumeister Johann Claudius von Lassaulx im neugotischen Stil wieder aufgebaut, dokumentiert wie die am Beginn dieser Reise stehende Burg Rheinstein hohenzollernschen Hang zur alten rheinischen Burgenromantik, von der Werner Bornheim-Schilling sagt: »Zur Stimmung, Bildung und Leidenschaft des 19. Jahrhunderts gehört die Burgenromantik des Rheins. Der schlichte Wanderer wie der reisende Weltmann zollten ihr Tribut. Der Dichtung folgten dann die Aktivitäten der Architekten.« Burgen, ursprünglich Wohnungen mit Wehr- und Sicherheitsfunktionen für Straßen, Städte und Dörfer, Schutz für den Burgherrn selbst, aber auch Basis für den Kampf um Machtsphären, Burgen als Zollstätten, Residenzen und Verwaltungssitze, nicht zuletzt Raubnester gewalttätiger Ritter, denen ein Rheinischer Städtebund entgegentreten mußte, um ihrem Unwesen ein Ende zu bereiten, Burgen auch als Schauplätze von Sagen und Legenden, alle diese Funktionen lassen sich hier auf diesem Rheinabschnitt nachweisen.

Mit der Ankunft in Koblenz, am Zusammenfluß von Mosel und Rhein, endet die den Hunsrück begrenzende Mittelrheinstrecke. Eine neue Dimension des Schauens und Erlebens wurde diesem Abschnitt durch die Markierung einer »Rheingoldstraße« gegeben. Im übertragenen Sinne und in Anlehnung an den im Rhein versenkten Nibelungenschatz soll sie zu den Kostbarkeiten dieser Landschaft führen, diesmal über die Rheinhöhen, um sozusagen aus der Vogelperspektive den Zauber des Tals mit dem glänzenden Strom und den darauf ziehenden Schiffen, den am Fluß liegenden Städtchen und Dörfchen zu erleben. Von Boppard windet sie sich in Kehren durch schattigen Mischwald zum Hunsrück, bietet herrliche Talblicke, im Frühjahr auf die Kirschblütenpracht von Bad Salzig, führt zu mauerumwehrten Städtchen und weinfrohen Winzerdörfern, kehrt zurück zu burggekrönten Felsen und Rebenhängen, die im Herbst in leuchtenden Farben stehen. Sie endet schließlich nach 80 Kilometern in Rheindiebach nach einer Fahrt durch eine mit Geschichte, Kultur und Schönheiten gesegnete Landschaft.

Bilderläuterungen 62–70

62 Burg Reichenstein über dem Dorf Trechtingshausen. Im 11. Jahrhundert wurde das »Castrum Richinstein«, Burg Reichenstein, früher auch Vautsberg genannt, erbaut. Nach den Herren von Bolanden, die hier als Vögte eingesetzt waren, kam 1241 Philipp von Hohenfels, ihn lockten die reichen Zölle, die er teilweise mit Gewalt kassierte. Seinen räuberischen Zugriffen machte der Rheinische Städtebund ein Ende, und als sein Sohn dieses Räuberunwesen fortsetzte, zerstörte Rudolf von Habsburg 1282 die Burg. Wiederaufgebaut, wurde sie 1689 erneut von französischen Truppen zerstört. – 1834 kaufte sie General Wilhelm von Barfuß und gab ihr wegen der zahlreichen dort lebenden Turmfalken den Namen Falkenburg. 1899 erwarb der Hüttenherr der Rheinböller Eisenhütte, Baron Nikolaus Kirsch-Puricelli, die Ruine und baute sie großzügig auf. In der Vorburg befindet sich heute ein Hotel. Das Hauptgebäude enthält in der Eingangshalle eine reiche Sammlung von Jagdtrophäen. Das Schloß ist sehenswert dank Ritterrüstungen aus vergangenen Zeiten, Ofenplatten, Porzellan, wertvollen Gläsern, flämischen Gobelins im Bibliothekszimmer, einem Musikzimmer und antiken Möbeln.

63 Burg Stahleck über Bacharach. Obwohl schon fast 800 Jahre seit dem Ereignis vergangen sind, wird sie noch immer erwähnt, die »heimliche Hochzeit« zwischen der staufischen Erbtochter Agnes und einem Sohn Heinrichs des Löwen, dem welfischen Gegner. Und nochmals war die Burg Stahleck, hoch über der Stadt Bacharach gelegen, Schauplatz einer Kaiserhochzeit, als Karl IV. 1349 die Tochter des Pfalzgrafen Rudolf, Anna, zur Frau nahm. 1142 wurde Graf Hermann von Stahleck, der mit einer Schwester König Konrads III. verheiratet war, zum Pfalzgrafen bei Rhein ernannt. Als sein Nachfolger, Konrad von Staufen, von Friedrich Barbarossa weiteren Besitz am Mittelrhein erhielt, wurde Bacharach Residenzstadt der Pfalzgrafen und Stahleck das nördliche Bollwerk der Pfalz zur Sicherung von Strom und Rheinzöllen. – Spanier unter General Spinola eroberten die Burg 1620, 1632 kamen die Schweden, und 1689 wurde sie von den Franzosen gesprengt. Anfang des 20. Jahrhunderts kam die stark zerstörte Anlage in den Besitz des Rheinischen Vereins für Denkmalpflege, der sie in den zwanziger Jahren zu einer Jugendburg ausbauen ließ. Selten ist bei einer Höhenburg der mit Wasser gefüllte Halsgraben. Über ihn führt eine Brücke (ehem. Zugbrücke) zum äußeren Tor in einer hohen mit Türmchen besetzten Schildmauer, und weiter geht es durch einen Zwinger in den Burghof, in dem sich der aus dem 12. Jahrhundert stammende Bergfried frei erhebt, umgeben von Fachwerkbauten und dem Palas.

64 Altes Haus in Bacharach. Zu den vielen schönen Fachwerkhäusern am Mittelrhein gehört auch das »Alte Haus« in Bacharach, eine Gaststätte am Marktplatz aus dem Jahre 1568. Gastlichkeit hinter schützenden Mauern hat in Bacharach Tradition. Lange vor Erbauung der Bürgerhäuser mit ihrem kunstvollen Fachwerk war der Ort Mitglied des Rheinischen Städtebundes, trafen sich hier 1314 die deutschen Fürsten, um Ludwig den Bayer zum König zu wählen, gab es glanzvolle Hochzeiten in der Burg hoch über der Stadt. Der Mauerbau begann 1344, und noch heute bestimmen Mauern, Wehrgänge und Tortürme das Stadtbild. – Eines der schönsten Bauwerke der rheinischen Spätromanik ist die evangelische Kirche und darüber in halber Berghöhe die Ruine der Wernerkapelle, ein Meisterwerk gotischer Baukunst aus rotem Sandstein über dem Grab eines Märtyrerknaben namens Werner erbaut. 1689 zerstörten bei der Sprengung der Burg Stahleck herabfallende Steine die Kapelle und machten sie unbrauchbar. Zur Zeit müht man sich um die Sicherung und Restaurierung.

65 Pfalzgrafenstein bei Kaub. »Steinernes Schiff« wird diese Burg bei Kaub mitten im Rheinstrom genannt, Pfalzgrafenstein ist ihr richtiger Name. Mit einem Zollturm, gleich dem Binger Mäuseturm, wo die vorbeifahrenden Kauffahrerschiffe geschröpft wurden, begann die Baugeschichte. Im 14. Jahrhundert kam eine Ringmauer dazu, und im 17. Jahrhundert entstanden eine Bastion an der Südspitze, Arkaden mit Wehrgang im Innern. Eine Sage erzählt, daß die Pfalzgräfinnen hier die Stammhalter zur Welt gebracht hätten. – Im Dreißigjährigen Krieg waren die Spanier ein Jahrzehnt lang Herren der Burg. 1793 setzte hier erstmals ein deutsches Heer über den Strom. Berühmt aber wurde der Rheinübergang der preußischen Truppen unter Feldmarschall Blücher in der Neujahrsnacht 1813/14, als sie die zurückflutenden napoleonischen Truppen verfolgten.

66 Oberwesel. »Gruß Dir, Romantik, welch ein prächtiges Nest«, so der Eindruck Ferdinand Freiligraths im Jahre 1850. Hier in diesem Schiffer- und Weinstädtchen soll Hoffmann von Fallersleben erstmals am 17. August 1843 im Gasthaus zum Goldenen Pfropfen das Deutschlandlied gesungen haben. – Ein Mauergurt mit Türmen und Toren umschließt die Altstadt und vermittelt vom Rheinstrom her trotz vieler Kriegszerstörungen ein fast geschlossenes mittelalterliches Stadtbild. Bis ins 17. Jahrhundert wurde die Stadt nur Wesel genannt. Markante Bauwerke sind die aus rotem Sandstein erbaute gotische Liebfrauenkirche und die Martinskirche mit ihrem bergfriedartigen Turm. Der

wehrhafte Bau des 25 m hohen Ochsenturmes aus dem späten Mittelalter diente auch den Schiffern als Signalstation. – Beschützt wird die Stadt von der sie überragenden Schönburg, von welcher der Sage nach die sieben Jungfrauen kamen, die nun als sog. »Hungersteine« unterhalb von Oberwesel bei Niedrigwasser aus dem Rhein ragen. Waldberge und steile Rebenhänge umrahmen die Stadt am Strom.

67 St. Goar und die Feste Rheinfels. Was soll man bei St. Goar mehr hervorheben, den einst blühenden Fischfang auf den begehrten Salm, das Wirken des aquitanischen Einsiedlermönchs Goarius, der hier eine Zelle errichtete und für den Ort namengebend wurde, oder die Bedeutung der von den Grafen von Katzenelnbogen erbauten Burg Rheinfels, die größte und gewaltigste Anlage am Mittelrhein. Graf Dieter von Katzenelnbogen hat 1245 mit dem Bau begonnen. Nach dem Aussterben dieses Grafengeschlechts kam sie an die Landgrafen von Hessen. In zahlreichen Fehden, Kämpfen und Belagerungen gelang es niemandem, die Burg zu bezwingen. Erst 1794 ging sie kampflos an die französischen Revolutionstruppen, die drei Jahre später die Festungsmauern gründlich zerstörten. Teilweise wieder aufgebaut und restauriert, bietet Rheinfels einen guten Einblick in das Befestigungswesen der Renaissance. Ein in der ehemaligen Kapelle eingerichtetes historisches Museum vermittelt durch Modelle, Zeichnungen, Fundstücke aller Art und Urkunden ein Bild der wechselvollen Geschichte von Burg und Stadt. Seit 1934 pflegt der »Hansenorden« mittelalterliches Brauchtum, wie es unter Handels- und Kaufleuten geübt wurde. Treffpunkt ist der Hansensaal in der Burg.

68 Das Rheintal bei Boppard. Bei Boppard schlägt der Rhein einen gewaltigen Bogen; als ob sein ungestümer Lauf nach Norden unterbrochen worden wäre von einem härteren Gestein, als es der Hunsrückschiefer bisher war, wendet er sich fast nach Osten, wo die

Marksburg über Braubach thront. – Deutlich zeigt das Bild den cañonartigen Durchbruch des Mittelrheintales, auf dessen Talterrasse wenig Platz für Siedlungen bleibt. 150–200 Meter ragen die Felswände vom Talboden beidseitig zum Hunsrück und zum Westerwald empor. Dort dehnen sich auf der Hauptterrasse fruchtbare Äcker. – Durch die Drehung des Rheinstromes ist der Hang zwischen Boppard und dem Königsstuhl bei Rhens nach Süden geneigt und damit zu einer hervorragenden Weinlage geworden. »Bopparder Hamm« heißt der köstliche Wein, der hier heranreift.

69 Bopparder Stadtbefestigung. Wenige Jahrzehnte nach der Zeitwende hatten die Römer hier am Rhein das Holz-Erde-Kastell Bodobriga errichtet. Unter Kaiser Valentinian (364–375) entstanden entlang des Rheins Türme und Kastelle aus Stein. Die römische Anlage im Stadtkern von Boppard war rechteckig und hatte Rundtürme an den Ecken und Seiten. Hier lagen Truppenteile der XXII. Legion. – Die mittelalterliche Stadtbefestigung ist nur noch teilweise sichtbar. Im 12. Jahrhundert umschloß sie das vor der römischen Mauer liegende Fischer- und Kaufmannsviertel. Zu Beginn des 14. Jahrhunderts wurden Ober- und Niederstadt mit einbezogen. Im Nordosten wölbt sich das Sandtor (unser Bild), und an der Südostecke stehen die Reste des Binger Tores.

70 Weinlese. Während in eben gelegenen Weinberglagen bereits mit Lesemaschinen zwischen den Rebstökken die Trauben geerntet werden, müssen an den Steilhängen an Rhein und Mosel wie eh und je Menschen diese Arbeit besorgen. Ein romantisches Bild, wenn Leserinnen und Leser an sonnigen Herbsttagen zwischen buntem Laub die Trauben schneiden, wenn sie sich mit munteren Sprüchen und Neckereien die oft beschwerliche Arbeit verkürzen, wenn Männer die vollgefüllten Tragekörbe zu den Bütten tragen. Doch nicht immer ist es eine von Lachen und Fröhlichkeit begleitete Arbeit, insbesondere nicht, wenn kalte Herbstnebel oder Regen herniedergehen. Recht kalt wird die Angelegenheit des Lesens, wenn bei klirrendem Frost Nikolaus-, Christ-, Neujahrs-, Dreikönigs- und Eisweine gelesen werden. – Monate später aber lassen goldener und duftender Wein im Glase alle Mühsal und Arbeit im Weinberg vergessen.

62 Burg Reichenstein über dem
Dorf Trechtingshausen ist heute
Hotel

63   *Die staufische Burg Stahleck, hoch über Bacharach*

Umseitig:
64   *Bacharach. Eines der schönsten Fachwerkhäuser am Mittelrhein ist das »Alte Haus« am Markt*
65   *Pfalzgrafenstein, das »Steinerne Schiff« bei Kaub, mitten im Rhein*

68   Das malerische Rheintal bei Boppard

Vorhergehende Seiten:
66   Oberwesel, ein romantisches Schiffer- und Weinstädtchen am Rhein
67   Die Feste Rheinfels, die größte und gewaltigste Burganlage am Mittelrhein, über St. Goar

124

69 Das Sandtor in
Boppard, Teil der ehemaligen
Stadtbefestigung

Umseitig:
70 Weinlese an einem sonnigen Herbsttag

Im Moseltal

Als der spätrömische Rhetor und Dichter Ausonius von den Alamannenzügen heimkehrte und den Moselstrom mit seinen Weinbergen an den Hängen erblickte, begann er ein Loblied auf diese Landschaft zu singen, das jeder Wanderer, der, vom herben Hunsrück kommend, bei Neumagen das Moseltal erreicht, nachempfinden kann:

»Hier strömt die Luft viel reiner, hier lacht uns Phoebus wieder
Und strahlt im Purpurglanz von seinem Himmel nieder.
Nicht ist mehr ausgesperrt des Firmaments Gefunkel
Vom dichten Baumgeflecht im grünen Waldesdunkel.
Der Schlösser stolze Giebel, die auf dem Felsen schweben,
Die Berge überall bepflanzt mit grünen Reben:
Und tief im Tal dort unten, da gleitet sanft inmitten
Der Herrlichkeit die Mosel dahin mit leisen Schritten.

Sei mir gegrüßt, o Strom!«

Hier, wo Ausonius die Mosel erblickte, tritt sie in das Rheinische Schiefergebirge ein. Der Fluß muß sich bis Koblenz in vielen Windungen mühsam durch das Gebirge schlängeln. An den Hängen, die nach dem Süden schauen, steigen die Weinberge hoch empor. Die Qualität der von Ausonius schon so hochgelobten Trauben ist so gut, daß die nachfolgenden Generationen jedes zugängliche Plätzchen, oft in schwindelnder Höhe, sorgsam mit Weinreben bebauten. Dort, wo die Sonne die abfallenden Hänge nur wenige Stunden am Tage zu erreichen vermag, gedeiht köstliches Obst. An manchen Stellen reicht das Buschwerk und manchmal auch der Wald bis ans Flußufer. Die Felder liegen meist weitab von den Dörfern auf den Hochflächen. Von den Seitentälern berichtete Professor Klein vor 150 Jahren: »Geräumige Täler mit lichtem Rasengrün bis zur Mündung überzogen, laufen vom Flusse landeinwärts. Andere, eng und schroff abfallend, spalten das Gebirg. Hunderte von Bächen, zahllose Quellen treiben hier Mühlen und andere Wasserwerke: Dort stürzen sie herab und eilen brausend, rauschend und murmelnd der Mosel zu.« Der Hauptverkehr will den Mäandern nicht folgen, er meidet zuweilen das Flußtal und geht nordwestlich daran vorbei. Die Eisenbahn durchstößt die große Moselschleife bei Cochem und taucht für über 4000 m in Deutschlands längstem Tunnel unter. Der Schiffsverkehr an der Mosel hat zwar Tradition, doch seit 1964 die Kanalisierung durch die Anlage von 14 Staustufen abgeschlossen ist, erfuhr er neue Impulse. Die Verbindung zwischen den französischen Eisenerzgebieten von Lothringen und dem Kohle liefernden Ruhrgebiet wurde dadurch erheblich verbessert.

Zur Landschaft des Moseltals gehören die Burgen auf den hohen Uferhängen. »Den Zeitstürmen trotzende Mauern, mächtige Türme von mancherlei Form ragen links und rechts an Abhängen und auf Gipfeln hervor. Je näher man kommt, desto kühner scheinen sie aus den Felsen hinauf in die blaue Luft zu springen.« Es waren meist landesherrliche Burgen, erbaut zur Sicherung von Straßen, Flußübergängen und Seitentälern oder als Zollburgen. Viele gehörten den mächtigen Kurfürsten von Trier, die sie von Ministerialen und Burgmannen bewachen ließen. Dicht am Fluß selbst liegen die schmucken, schiefergedeckten Moseldörfer mit ihren Fachwerkhäusern der Weinbauern und den großen Weinkellern. Der Duft von Wein in dieser heiteren Landschaft zog schon manchen Feriengast in seinen Bann und ließ ihn hier verweilen.

Eine große geschichtliche Vergangenheit hat die Moselmetropole Trier, die in diesen Tagen ihr 2000jähriges Stadtjubiläum feiert. Die von den keltischen Treverern gegründete Siedlung lag am günstigen Schnittpunkt der Fernstraßen Lyon–Metz–Köln und Paris–Reims–Mainz. Kaiser Augustus gründete um 16 v. Chr. auf seiner Reise durch die gallischen Provinzen diese Stadt, die den Namen Augusta Treverorum erhielt (Augustus-Stadt im Land der Treverer). Im zweiten nachchristlichen Jahrhundert wird Trier Hauptstadt der römischen Provinz Gallia Belgica. Der Prokurator Titus Julius Saturninus, der Fabier, oberster Finanzbeamter der Provinz, errichtete dem Heilgott Aesculapius in der Nähe der Moselbrücke einen Tempel. Um die Mitte des 1. Jahrhunderts wurde die erste steinerne Moselbrücke gebaut. Es folgte die Errichtung des Amphitheaters (um 100), und zum Schutz gegen die vordrängenden Germanen entstand im späten 3. Jahrhundert die Stadtmauer, von der bis heute das weltbekannte Prunktor, die Porta Nigra, erhalten ist.

Als Kaiser Diokletian das gewaltige, aber unüberschaubar gewordene römische Weltreich neu zu ordnen versuchte, indem er es in vier gleichberechtigte Teilreiche mit jeweils einem gleichberechtigtem Cäsar an der Spitze gliederte, wurde Trier Hauptstadt des nördlichen Reiches und Sitz eines römischen Kaisers. Konstantin, Valentinian und Gratian herrschten hier. Von den Panegyrikern, den unermüdlichen berufsmäßig tätigen Lobrednern, sind uns viele Leistungen der Trierer Cäsaren bekannt. Kaiser Konstantin errichtete die Basilika, ursprünglich eine Markt- und Gerichtshalle. Aus dieser Zeit stammen auch die Anfänge der Kaiserthermen und des Palastbezirks. Kaiserin Helena schenkte dem Trierer Bischof Agritius ihren Palast. Er ließ an der gleichen Stelle eine Doppelkirchenanlage (heute Dom und Liebfrauen) errichten. Die christliche Zeit begann und löste den römischen Götterkult ab. Der Glanz der Hauptstadt strahlte über das ganze Moseltal. Lange Zeit war sie Heimstatt der gallo-römischen Götterverehrung. Zugleich war Trier auch der Ausgangspunkt von Christianisierungsversuchen Maximins, die sich bis zu dem erfolgreichen Wirken des hl. Castor und des hl. Lubentius fortsetzten. Zunächst aber gestatteten die Römer in ihrer toleranten Haltung den Einheimischen die Ausübung ihrer alten Religion, verbanden aber die Funktionen dieser Götter mit denen der römischen und glichen sie in der Namengebung an. Der Viergötterstein (mit Minerva, Ceres, Merkur und Herkules) von Udelfangen, das Dianabild zu Klüsserath, die Weiheinschriften an Merkur und Rosmerta bei Niederemmel, der Kriegsgott Mars zu Neumagen und Enkirch, der Herkules zu Gondorf, die charmante Quellnymphe mit Diadem von Hinzerath, die Kultbilder des Apollo und der Sirona aus dem Quellheiligtum von Hochscheid und das Heiligtum des Lenus-Mars auf dem Pommerner Mart beweisen, wie verbreitet der jetzt herrschende Kult der Roma war. Tacitus nennt diese Verbindung »interpretatio Romana«.

Von Trier aus folgen wir der Mosel stromabwärts. Das

erste Mal machen wir halt in Bernkastel. Will man die Stadt kennenlernen, muß man am Flußufer parken und den Weg durch die schmalen Gäßchen durchwandern. Denn der ganze Stolz der Bewohner ist der ungewöhnliche Reichtum an Fachwerkhäusern der frühen Neuzeit. Mitten auf dem malerischen Marktplatz findet sich der 380jährige Michaelsbrunnen, ein achteckiges Steinbecken mit schmiedeeisernem Gitter, einem Mittelpfeiler mit bauchiger Säule, die den Stadtpatron trägt. Das alte Rathaus mit dem Pranger hatte ursprünglich eine offene Halle mit Rundbogenarkaden. Hier, im alten »Primcastellum« der Römer, bildet der Marktplatz den Mittelpunkt, und alle Straßen und Gäßchen laufen davon, um den romantischen Stadtkern aufzuschließen. Gleich an der Ecke der alten Römerstraße steht eines der imposantesten Fachwerkgebäude. Über einem massiven Erdgeschoß sind drei übereinander ausgekragte Geschosse mit abgewalmtem Giebel errichtet. Die Umrahmungen der Fenstergruppen ruhen auf Tierköpfen, und unter den geschweiften Dachgiebeln finden sich mahnende Inschriften: »Die Zeit eilt – teilt – heilt – weilt!« »Gottes Wort wär nicht so schwer, wenn der Eigennutz nicht wär!« Die Freude an handwerklicher Holzbearbeitung zeigt sich ebenso an den dahinterstehenden beiden Häusern. Die Haustüren zwischen kannelierten ionischen Pfeilern, in Flechtwerken und Bändern, in Schuppen- und Scheibenfriesen, Weinlaubranken, Taumotiven und Flach- und Kerbschnitzereien suchen ihresgleichen. Die Andreaskreuze sind eng gestellt und zeigen edelste Fachwerkkunst. In den Brüstungsfeldern und in den Kreuzungspunkten sind sie mit Rosetten geziert. Wir werfen noch einen Blick zum anderen Moselufer, nach Kues mit seinem berühmten Cusanusstift. Am Nikolausufer steht das Geburtshaus des Kardinals, dem man den Namen »Pförtner der Neuzeit« beigegeben hat. Als Brixener Bischof stiftete Nikolaus von Kues seiner Heimatgemeinde ein Spital für bedürftige alte Männer.

In Traben-Trarbach gelangen wir in die alte »Hintere Grafschaft Sponheim«. Zunächst war die Starkenburg das Bollwerk der Sponheimer Grafen, die ihren Besitz gegen die einheimischen Dynasten und den mächtigen Trierer Nachbarn zu schützen hatten. Gräfin Loretta, die junge und tatkräftige Witwe des schon früh verstorbenen Grafen Heinrich II. des Jüngeren, ließ 1327 den Kurfürsten Balduin ergreifen und auf der Starkenburg gefangensetzen. Imponierend einfach die Methode der Gefangennahme: Als der Kurfürst in einem leichten Nachen die Mosel hinunter nach Koblenz fuhr, sperrten die Burgmannen den Fluß mit einer eisernen Kette. Nachdem Balduin ein Lösegeld gezahlt und der Gräfin in einem Sühnevertrag die alten Rechte zugesichert hatte, setzte sie ihn auf freien Fuß. Nach einer sponheimischen Teilung in der ersten Hälfte des 13. Jahrhunderts wurde Trarbach Hauptort der Hinteren Grafschaft. In die Befestigungsanlage der Stadt wurde die neu errichtete Grevenburg mit eingebunden.

Als Goethe nach der kläglich verlaufenen »Campagne in Frankreich«, die er als Berichterstatter und Begleiter seines Herzogs mitgemacht hatte, nach Weimar zurückkehren wollte, reiste er in einem Nachen auf der Mosel nach Deutschland zurück. In Trarbach legte er zum erstenmal an, um sich im Patrizierhaus der Weingutsbesitzerfamilie Böcking mit Proviant und wärmender Kleidung zu versorgen.

Heute ist Traben-Trarbach ein weltbekanntes Weinbaugebiet an der Mittelmosel mit Spitzenlagen wie »Trabener Würzgarten«, »Kräuterhaus«, »Zollturm«, »Trarbacher Schloßberg«, »Ungsberg« und »Herbstberg«. Weinhandel trieben die reformierten Bewohner schon seit dem 16. Jahrhundert mit England und den Spanischen Niederlanden. Mit ihren zahlreichen Kellereien wurde die Stadt zum Hauptplatz des Weinhandels an der Mosel.

Die schmale Straße läuft jetzt immer den Fluß entlang, geht durch das 1250jährige »Anchiriacum« (Enkirch), das »Schatzkästlein der Dorfbaukunst«. Vom fernen St. Petersberg grüßt die Marienburg, eine der ältesten Kirchen an der Mosel, Frauenkloster, Wallfahrtsstätte und beliebtes Ausflugsziel.

Wir kommen nach Zell, der Weinstadt der »Schwarzen Katz«. Schon im 12. Jahrhundert ist es als »Cella de Hammone« genannt, und mit gutem Recht, denn es liegt im großen Moselbogen Pünderich-Alf. Der rührige Fleiß der Zeller ließ den Ort bald zum Mittelpunkt der kirchlichen und staatlichen Verwaltung im Hamm werden. Durch den Trierer Erzbischof Theoderich von Wied erhielt er früh das Recht auf eine Stadtbefestigung, die Grundlage für Handel, Gewerbe und Verkehr. Der »Runde Turm« als Zeichen alter Stadtsicherung wacht heute noch über den Weinbergen. Balduin ließ das kurfürstliche Schloß erbauen. Weinbergbesitz blieb immer begehrt, die Klöster Springiersbach und Himmerod hüteten ihn, die Ritter – die Zant von Merl, die Vögte des Hamms, die Herren von Metzenhausen und Wiltberg, die Eltz-Kempenich und die Waldecker von Kaimt – bezogen ihre Abgaben.

Der Bahnhof in Bullay hatte einst großstädtischen Charakter. Wenn die D-Züge hielten, stiegen weltmännisch Reisende, In- und Ausländer hier aus, um mit der Autopost, dem Kraftwagen oder dem »Landauer« weiter nach Bad Bertrich zu reisen, Deutschlands einziger warmer Glaubersalzquelle. Längst vorbei ist die Zeit des moselländischen »Saufbähnchens«. Es hatte hier in Bullay seine Endstation. Sein Schienenstrang bis Trier war 103 km lang, während die Luftlinie kaum die Hälfte der Entfernung beträgt. Ein Weltenbummler erzählt: »Das Saufbähnchen, dieses Vehikel, das sonderbarste und seltsamste Stück der Zivilisation, juckelt und pustet, schlingert und quietscht so verloren durch das Tal und ist trotzdem der Liebling aller Moselreisenden.« Daß man in den Zugabteilen während der Fahrt Wein kredenzt bekam, brachte dem Bähnchen nahezu Weltruhm ein. Und unser Erzähler fährt fort: »Dieses Bähnchen ist wie Medizin, die uns verschrieben ist. Dieses Bähnchen sind Hoffmannstropfen für unsere Seele. Jeder Fremde wird in Enthusiasmus versetzt.«

Viele Jahrhunderte hat es gedauert, bis Beilstein, das »Rothenburg an der Mosel«, von den Moselfahrern entdeckt wurde. Heute hat es seinen Dornröschenschlaf längst ausgeträumt, wenngleich es scheint, als sei die Zeit hier stehengeblieben. Schönheit und Anmut findet man in den dicht aneinandergedrängt stehenden Fachwerkhäusern der engen Gäßchen und steilen Treppen. »Das Städtchen ist so klein: seine wenigen schmalen Straßen scheinen dem Sonnenstrahl kaum den Eingang zu gestatten. Was zu einem mittelalterlichen Städtchen gehört, ist hier auf allerengstem Raum zusammengedrängt: die Treppen- und Stadttürme, die Mauern, der Gefängnisturm, das Zollhaus, die mit steinernen Bögen überspannten engen Winkelgassen, das Pesthaus, Kloster und Burg.« Der Marktplatz, der sogenannte Plan, hinterläßt mit seiner allseitig geschlossenen Vierung einen nachhaltigen Eindruck auf den Besucher. Das Amtshaus grüßt mit seinem herrlichen Barockportal, mit den in Stein gearbeiteten Adelswappen. Die Winneburg-Braunshorner und die Metternicher gehören dazu. Sie waren die letzten Bewohner der Burg, die 1689 im Pfälzischen Erbfolgekrieg zerstört wurde. Klemens Lothar von Metternich, der österreichische Staatskanzler des Wiener Kongresses, war der letzte Inhaber der Herrschaft Beilstein. Die Herren von Metternich waren auch die Gründer des auf dem Berg »Kamer« thronenden und von einem Kranz alter Bäume umgebenen Karmeliterklosters. Eine schwarze Madonna, die einst ein spanischer oder italienischer Künstler schuf, hatten die Mönche in ihrer Obhut.

Beilstein liegt schon im »Cochemer Krampen«, einer weit ausholenden Flußschleife. Wo sie zu Ende geht, liegt Cochem, das heiterste und lebendigste Städtchen im ganzen Moseltal.

Die kleine Moselbucht bei Treis war als Flußübergang besonders gut geeignet. Das wußten bereits die Römer. Auf der gegenüberliegenden Seite, am Pommerner Martberg, errichteten sie ein Bergheiligtum, in dem der Landesgott der Treverer, Lenus-Mars, verehrt wurde. Karden ziert heute die imposante romanische und frühgotische Stiftskirche St. Kastor. Die Grafen und Ritter des Mittelalters sicherten den Ausgang des Dünn- und Flaumbachtals durch zwei auf Felsrücken liegende Burganlagen: Burg Treis und Wildburg.

Das alte Städtchen Alken und die Dörfer des einstigen Amtes gehörten Kurköln und Kurtrier gemeinsam. Köstliche Weine gedeihen in den Weinanlagen, die bis zu den oberen Rändern der Abhänge reichen. Hoch oben auf einem Felsgrat thront die stolze Burg Thurandt, die nach den »Gesta Treverorum« Pfalzgraf Heinrich, der Sohn Heinrichs des Löwen, zum Andenken an die vergeblich belagerte Syrerfeste Tyrus erbaut haben soll. Im 13. Jahrhundert kam sie in den Besitz der Kurfürsten von Köln und Trier. Mit der Burganlage war die Stadtbefestigung von Alken verbunden. Die Fallerport, ein Tor und ein mächtiger Rundturm sind erhalten. Im 16. Jahrhundert errichteten die Herren von Wiltberg ein stattliches Burghaus in Alken. Die alte Michaelskapelle, über einen mit hohen Treppen umrahmten Kreuzweg zu erreichen, war ihre Erbbegräbnisstätte. Das Chorgewölbe schmücken eine byzantinische Darstellung des Jüngsten Gerichts, die thronenden Zwölf Apostel und der Drachen des hl. Michael.

Vom »Alker Hunnenstein« aus bietet sich dem Wanderer noch einmal ein herrlicher Ausblick in die weite Tallandschaft der unteren Mosel, die bald das alte Confluentes mit seinen ehrwürdigen Kirchen und Bauwerken erreicht und dann am Deutschen Eck in den großen Rheinstrom einmündet.

Bilderläuterungen 71–78

terin«. Nun waren die Geschicke der Stadt mit denen der Burg unauflöslich verknüpft. Am härtesten kamen beide in Bedrängnis, als 1687 beide im Zusammenhang mit dem Bau von Mont Royal befestigt wurden. Der französische Festungsbaumeister Sébastian le Preste de Vauban schuf hier an der Mittelmosel in sechs Jahren eine gewaltige Halbinselfestung für eine Kampfbesatzung von 14 Regimentern. Nach dem Frieden von Rijswijk wurde Mont Royal gegen Straßburg eingetauscht und ein Jahr später von den Franzosen geschleift.

71 Der romantische Marktplatz in Bernkastel. Das Bernkasteler Weinfest zu Beginn des September lockt Jahr für Jahr Tausende von Besuchern zum Marktplatz der Stadt, wo an diesen Tagen der Marktbrunnen inmitten der herrlichen Fachwerkkulisse den köstlichen Wein spendet. Auch der »Bernkasteler Doktor« gehört dazu. Von ihm weiß die Sage zu berichten, daß, als auf der nahen Burg Landshut Erzbischof Boemund von Trier in bösem Fieber todkrank darniederlag, alle heilsamen Tränklein der frommen Einsiedler und klugen Waldfrauen nicht mehr halfen. Da wurde ein edler Bernkasteler Wein dem Kranken zur helfenden Arznei. Er erhielt den Namen »Bernkasteler Doktor«. Danach soll dieser Wein im Moselland und darüber hinaus gern als Heilmittel gegen allerlei Gebrechen des Leibes und der Seele verwendet worden sein.

72 Traben-Trarbach mit der Grevenburg. Die Doppelstadt zu beiden Seiten der Mosel liegt eingerahmt von Weinbergen und Wäldern. An der fast senkrechten Bergwand bei Starkenburg hatten die Grafen von Sponheim ihre Stammburg errichtet, nach der sich ein Zweig des mächtigen Grafengeschlechtes nannte. Um die Mitte des 14. Jahrhunderts erbauten sie über Trabach die Grevenburg (»Grafenburg«), »des gantzen umliegenden Landes Schutzwehr, Freystatt und Erhal-

73 Malerische Fachwerkhäuser in Enkirch. Wo die reizvollen Hunsrücktäler des Groß- und Ahringsbaches zusammenkommen, liegt Enkirch, das glänzt durch sein hohes Alter und seine geschätzte mittelrheinische Dorfbaukunst. Wer hier durch die engen und oft steilen Gassen schlendert, entdeckt manchen malerischen Winkel und manch verträumtes Winzerhaus mit rebenbewachsenen Giebeln. Die zahlreichen Hinweisschilder erinnern an den Hofbesitz ehemaliger Klöster und Adelsgeschlechter: Hof des Klosters Pfalzel, Kurtrierischer Hof, Ravengiersburger Hof, Hof des Stiftes St. Simeon, Hof des Nonnenklosters Machern, Springiersbacher Hof, Kumbder Hof, Schmidtburger Hof und Hof der Kratzen von Scharfenstein. In Enkirch gibt es noch zahlreiche Winzer. Qualitätsweine wachsen im Steffensberg, Herrenberg und Edelberg. Malerisch über dem Dorf liegt die evangelische Pfarrkirche mit ihren drei gotischen Chören, einer bedeutenden Orgel und bemerkenswerten Epitaphien der Freiherren von Wiltberg. Im Großbachtal steht eine alte Wallfahrtskirche, hervorgegangen aus der Kapelle des Ravengiersburger Klostershofs.

74 Zell, ehemaliges kurfürstlich-trierisches Schloß. Zu den Sehenswürdigkeiten der weinberühmten Stadt Zell gehört das ehemalige Schloß. Erbaut wurde es unter den Kurfürsten Richard von Greiffenklau und Johann von Hagen, Baumeister dürfte der in Ehrenbreitstein tätig gewesene Baumeister Friedrich Kauff-mann sein. Die Kurfürsten benutzten das Schloß zeit-weilig als Wohnung, gleichzeitig war es aber auch Sitz des Amtmanns und des Kellners. Die Schloßanlage be-steht aus zwei Flügeln, der eine grenzt an die untere Straße, der andere liegt hinter einem Hof und grenzt an die Oberstraße. Die Türme tragen hübsche Hauben-dächer, die beiden nach der Hofseite zu sind durch eine hölzerne Galerie miteinander verbunden. Das Mauerwerk ist mit Wappenschilden, Hausmarken und Steinmetzzeichen reich verziert.

75 *Zell, Weinlese.* Die Weinlese ist die hohe Zeit des Winzers. Das Pflücken ist weitgehend Frauenarbeit. Die abgeschnittenen Trauben werden in kleinen Wan-nen oder Eimern in den Legel getragen, eine grüne Blechkiepe. Auf dem Rücken bringen die Männer die Last zum unteren Weinberg, wo der Inhalt in Bottiche ausgeleert, zerstampft und gleich durch die Mühle ge-dreht werden. Die Qualität der weltbekannten Zeller Weine verpflichtet. Ehe er Siegel und Korkbrand ver-liehen bekommt, haben zünftige Winzer geprüft, ge-probt und gekostet. Die bekanntesten Weinberglagen sind Domherrenberg, Nußberg, Fliesenhell und vor al-lem Schwarze Katz. Höhepunkt des Weinjahres ist das große Zeller Weinfest. Dann fließen auf den Straßen die Weinbrunnen, und die neugewählte »Weinjungfer« übernimmt für drei Tage die Herrschaft über die fest-lich gestimmte Weinstadt.

76 *Beilstein, Kleinod unter den moselländischen Stadtan-lagen.* Die Stadt wird überragt von der auf einem Berg-rücken erbauten Burg. Ein Kupferstich von Merian aus dem Jahre 1646 zeigt uns die Anlage noch vor ihrer Zerstörung. Ein um 1200 errichteter über 20 m hoher fünfseitiger Bergfried ist mit seiner Spitze nach der An-griffsseite, dem Bergsattel, gerichtet. Diese Seite wird zusätzlich durch zwei Ecktürme, einen Wachtturm und Wehrgänge gesichert. Von der Vorburg aus verlaufen die Mauern, die Burg und Stadt miteinander verbin-den. Als Lehen des Erzstifts Köln war Burg Beilstein ursprünglich im Besitz der Edelherren von Brauns-horn, kam dann an die von Winneburg und die von Metternich. Im Pfälzischen Erbfolgekrieg (1689) leg-ten die Franzosen unter Graf Montalt »die schöne, stolze Burg« in Schutt und Asche.

77 *Burg Thurandt über Alken.* Den Namen erhielt die Burg nach der syrischen Burg bei Tyrus, die während des 3. Kreuzzuges von dem jungen Herzog Friedrich von Schwaben vergeblich belagert worden war. Die Welfen wollten ihre Interessen an der unteren Mosel wahren und hatten unter Pfalzgraf Heinrich, dem Sohn Heinrichs des Löwen, um 1200 Thurandt erbaut. Wäh-rend König Otto IV., der Bruder Heinrichs, auf dem Italienzug weilte, soll Pfalzgraf Heinrich auf Thurandt als Verweser das Reich regiert haben. Damals hielt man die Kaiserkrone auf der Burg in Gewahrsam. Den Trierer und Kölner Erzbischöfen war die welfische Burg in ihrem Machtbereich ein Dorn im Auge. Es kam zu einem offenen Krieg, bei dem der Sage nach die Kölner 3000 Fuder Moselwein die durstigen Kehlen hinuntergespült haben sollen. Und der Burghaupt-mann Zorn soll einen erzbischöflichen Kundschafter mit der Wurfmaschine über die Schlucht des Alkener Bachs nach dem »Bliedenberg« geschleudert haben, wo der »gewippte Vogt« allerdings unversehrt lan-dete. Als Dank für seine wunderbare Errettung ließ er eine Kapelle erbauen. Die Kölner und Trierer gewan-nen den Kampf und teilten die Burg. Die beiden Berg-friede, der kurkölnische und der kurtrierische, sind heute noch erhalten.

78 *Ehrenburg bei Brodenbach.* Hoch über dem Ehr-bachtal thront die Ehrenburg, von Pfalzgraf Hermann von Stahleck, einem tatkräftigen und gewalttätigen Mann, um die Mitte des 12. Jahrhunderts erbaut. Die Burg wurde eingezogen in den trierischen und pfalz-gräflichen Interessenbereich. Immer wieder kam es zu Händeln und Fehden. Von der romanischen Burg blie-

ben Reste eines Wohnhauses mit Fischgrätenmauerwerk, das sind ährenartig ineinander gefügte Steine, erhalten. Der prächtige Bergfried ist nach französischen Vorbildern als hoher Doppelturm ausgebaut. Ende des 15. Jahrhunderts entstand der Rampenturm, ein wehrtechnisch vorzüglicher Bau mit spiralförmig angelegter Auffahrt zum Hinaufziehen der Kanonen. 1689 sprengten die Franzosen die Burg, sie wurde von den jetzigen Besitzern, den Grafen von Kanitz, zum Teil wieder aufgebaut.

71 Der romantische Marktplatz in Bernkastel

72 Trarbach mit der Grevenburg

73 Malerische Fachwerk-
häuser in Enkirch

74   Zell. Das ehemalige kurfürstlich-trierische Schloß, eine Sehenswürdigkeit der berühmten Weinstadt

75 *Zu Zell gehören so berühmte Weinlagen wie »Domherrenberg« und »Schwarze Katz'«*

Umseitig:
76 *Beilstein, ein Kleinod an der Mosel*
77 *Burg Thurandt über Alken, erbaut um 1200*

78   *Die Ehrenburg hoch über dem Ehrbachtal bei Brodenbach*

Vom Hunsrück zur Nahe

Südlich der paläolithischen Quarzitriegel von Soon-, Idar- und Hochwald senkt sich das Land zur Nahe, sanft abfallend, dann aber an einigen Stellen von einer Kante schroff ins Tal stürzend. Schieferböden und Gehängeschutt treten zurück und werden vom Ober- und Unterrotliegenden, Sandablagerungen einer wüstenhaften Klimaperiode vor 240 Millionen Jahren, abgelöst. Diluviale Lehme gaben Rohstoffe für Ziegelsteinindustrie, und tertiäre Tone ließen am Soonwald Töpfereien entstehen. Eruptivgestein, Porphyr und Melaphyr (Basalt) gestalten das Landschaftsbild der mittleren Nahe.

Vom Hunsrück her gesehen nennt man das Gebiet »Iewer Wall« (überm Wald), und die Bewohner sind die »Iewerwäller«, ihre Sprache gehört zum Rheinfränkischen. Die Geographen bezeichnen das Gebiet als Soonwaldvorstufe. »Weinland Nahe und Naturparadies Hunsrück«, so der Slogan der Naheweinwerbung, zeigt trotz geologischer und sprachlicher Grenzen die starke Verflechtung und das Ineinandergreifen beider Landschaften, die bereits historisch im ehemaligen Nahegau bestand. Er griff über die Soonwaldhöhen weit in das Hunsrückgebiet hinein.

Stark zergliedert ist dieses Gebiet durch zahlreiche, vom Hunsrück zur Nahe hin fließenden Bäche, die nicht immer am Quarzitriegel haltmachten, sondern sich in jahrtausendelanger Arbeit einsägten und wildromantische, tiefeingeschnittene Täler mit herrlichen Felsformationen bildeten. Vom Hoch- und Idarwald kommen Traun-, Hain-, Idar-, Stein- und Fischbach. Von der Hunsrückhochfläche Kyr(Hahnen)- und Simmer(Kellen)bach, aus dem Soonwald Hox-, Fisch-, Gräfen- und Guldenbach. Ihre stürzenden Wasser trieben einst Getreidemühlen, Achatschleifen und Hammerwerke einer mittelalterlichen bis neuzeitlichen Eisenindustrie. Die heute noch davon stehenden Bauwerke sind Gasthäuser, Pensionen und Wochenendhäuser geworden, auch Campingplätze haben sich in den reizvollen Tälern etabliert.

Zahlreiche Burgen stehen auf steilen unzugänglichen Bergspornen dieser Seitentäler und lassen etwas von dem politischen Kräftespiel des Mittelalters ahnen: Schloß Dhaun und die Kyrburg, Sitz der Wild- und Rheingrafen, die heißumkämpfte Schmidtburg, militärischer Stützpunkt der Erzbischöfe von Trier zwischen Mosel und Nahe. »Ist denn kein Dalberg da?« soll der kaiserliche Herold noch im 18. Jahrhundert auf den Reichstagen gerufen haben, eine Auszeichnung für

ein Geschlecht von der Stammburg Dalberg im Gräfenbachtal. Auf der Burg Böckelheim saß kurz nach
1100 Kaiser Heinrich IV. als Gefangener seines Sohnes,
des späteren Heinrichs V., und auf der Stromburg residierte Hans Michael Obentraut, dänischer Reitergeneral im Dreißigjährigen Krieg, Urbild des tapferen
»Deutschen Michel«. Die Burg Heinzenberg im Kellenbachtal ist die Geburtsstätte des Minnesängers Wilhelm von Heinzenberg, dem ebenso wie Friedrich von
Hausen in der Manessischen Liederhandschrift ein
Denkmal gesetzt wurde. Nicht umsonst dichtete der
Simmerner Postmeister Otto von Vacano: »Nicht Ve-
nedigs goldenes Buch hat die Edlen aufzuweisen, die
der Nahe Rebenstrand froh als ihre Heimat preisen, die
des Hunsrücks bergig Land ihrer Wiege Wächter nen-
nen.« Dichter und Künstler waren hier beheimatet,
schufen Bleibendes, unter ihnen Pfarrer Nicolaus
Götz, von Johann Gottfried Herder die »Winterburger
Nachtigall« genannt, Gustav Pfarrius, der Dichter und
Sänger des Nahelandes, die Bildhauerfamilie Cauer aus
Bad Kreuznach, die weitbekannte Orgelbauerfamilie
Stumm aus Sulzbach bei Rhaunen, die Kirchenmaler
Engisch aus Kirn, die in der Kirche von Stipshausen ein
Kleinod an Malerei hinterlassen haben. In diesem
Soonvorland steht die Ruine einer der ersten christ-
lichen Kirchen, die »Gehinkirche oder Kirche an der
Getzbach« bei Auen, eine Gründung des Erzbischofs
Willigis von Mainz um das Jahr 1000. Ein hervorragen-
des Zeugnis romanischer Baukunst stellt die Kloster-
kirche von Sponheim dar, von dem für den Nahe–
Hunsrück-Raum bedeutendsten Grafengeschlecht der
Nellenburger gestiftet. Im gleichen Gebiet, umgeben
vom Soonwald im Norden, von Äckern und Obstbäumen im Süden, ein Militärflugplatz. Der Lärm der Dü-
senmaschinen hat die Bewohner zweier am Rand des
Flugfeldes liegender Dörfer vertrieben. Bulldozer haben die verlassenen Häuser eingeebnet. Bald werden
die Namen Pferdsfeld und Eckweiler auf den Landkar-
ten gelöscht sein.

Das Nahetal

Nahetal, Tal der Sonne und der heilenden Quellen, Tal
des Weins und der Arbeit, in einem Satz die Attribute
des Landes, das die südliche und südwestliche Grenze
des Hunsrücks bildet. Radiumhaltige Solequellen in
Bad Kreuznach und Bad Münster am Stein, heilender
Lehm in der Felkestadt Sobernheim, Industrie in Bad
Kreuznach, Sobernheim, Simmertal, Monzingen und
Kirn, Schmuck und Edelsteine an der Oberen Nahe,
Weinbau an beiden Ufern und in den Seitentälern bis
zur Mündung in den Rhein. Es gibt wohl kaum eine
deutsche Landschaft, die nicht für sich in Anspruch
nimmt, sie sei die schönste; als Beweis werden Aus-
sprüche und Schilderungen von Dichtern und Schrift-
stellern herangezogen. Beim Rochusfest des Jahres
1817 in Bingen war es Goethe, der Menschen aus dem
Nahetal um sich geschart hatte, die ihm von der Edel-
steinindustrie bei Idar-Oberstein berichteten und den
berühmten Monzinger Wein ausschenkten, von dem
Victor von Scheffel meinte: »Wer die Nahe sah, bleibt,
der Nahe fern, der Nahe nah, denn schön ist's da.« Es
gibt auch Nahelieder, die von sagenumwobenen Burgen singen und die Schönheit des Landes preisen.
Den Ursprung der Nahe bei Selbach im Birkenfelder
Land hat man in Stein gefaßt und mit einer Tafel »Na-
hequelle, 1968« geschmückt. Durch Wiesen plätschert
sie zuerst als unscheinbares Bächlein, wächst und
schwillt, erhält Zulauf von allen Seiten. Bei Nohfelden
erreicht die Nahe die erste Burg. Enger wird das Tal.
Bei Sonnenberg tauchen die beiden Türme der Frauen-
burg auf, im 14. Jahrhundert Witwensitz der Sponheimer Gräfin Loretta, die einmal den mächtigen Kir-
chen- und Reichsfürsten Erzbischof Balduin von Trier
auf der Mosel gefangennahm und erst gegen ein hohes
Lösegeld wieder freiließ. Fast eine Parallele zum
Rheintal bildet der Klausfels, im Volksmund »Nahe-
Loreley« genannt. Steil und schroff aus dem Wasser
emporragend, läßt er keinen Platz für eine Straße und
mußte untertunnelt werden. Die Nahe erreicht jetzt die

zwischen steilen Felsen gelegene Stadt Idar-Oberstein, gekrönt von den Ruinen des Alten und Neuen Schlosses, darunter in einer Höhle die Felsenkirche, das Wahrzeichen der Stadt. Sie soll der Sage nach als Sühne für einen Brudermord erbaut worden sein. Achat- und Amethystfunde vor Jahrhunderten und deren Verarbeitung auf wassergetriebenen Schleifsteinen zusammen mit anderen kostbaren Steinen aus der ganzen Welt ließen hier im Nahetal eine weltbekannte Schmucksteinindustrie entstehen. Ein Wolkenkratzer mit Sitz einer Edelstein- und Diamantenbörse überragt die blauen Schieferdächer und dokumentiert den weltweiten Handel mit diesen Erzeugnissen. Um den durch zwei enge Geschäftsstraßen flutenden Autoverkehr zu bewältigen, muß sich die Nahe neuerdings im Stadtteil Oberstein durch einen fast zwei Kilometer langen Betontunnel zwängen, über den nun die Bundesstraße 41 führt.

Hinter Idar-Oberstein weitet sich das Tal. Der Fischbach plätschert aus dem nördlichen Waldgebirge in die Nahe. In diesem Seitental grub man einmal nach Kupfererzen. Das historische Kupferbergwerk bei Fischbach, als Fremdenverkehrsattraktion wieder begehbar gemacht, soll den Besuchern die einst harte und gefährliche Arbeit der Erzsuche vor Augen führen. Bei Kirn mündet der von der Hunsrückhochfläche kommende Hahnenbach, im Oberlauf Kyrbach genannt. Er gab der Stadt an der Mündung ihren Namen und auch der auf einem Felsen über dem Tal errichteten Kyrburg, Schutzfeste bereits im 10. Jahrhundert am Übergangsweg ins Bergland, Sitz der Nahegaugrafen und Machtinstrument der späteren Wild- und Rheingrafen. Leder und Kunststoffverarbeitung, Autoreparaturwerkstätten und Getränkeindustrie beherrschen dieses Städtchen. Kaum jemand weiß, daß man hier einmal Kohlen für den Hausbrand aus der Erde holte; dafür hämmern Maschinen und mahlen aus dem Basaltgestein rund um die Stadt Schotter und Kies für den Straßenbau. Ein Kirchlein, unmittelbar auf der Abbruchkante des Tals stehend, blickt nun herab. Fast fühlt man sich an Uh-

lands »Droben stehet die Kapelle« erinnert. Es ist Johannisberg, die Grablege der Wild- und Rheingrafen von Dhaun, deren Schloß aus der Ferne ins Nahetal grüßt. Von hier schaute der Nahelanddichter Gustav Pfarrius herab und schrieb: »... eine unvergeßliche Aussicht in das romantische Tal des Simmerbaches und weiter über die Öffnung des Tales in die lachenden Gefilde der Nahe, wo über schimmernden Dörfern eine unbeschreibliche Heiterkeit verbreitet lag.«

Bei Martinstein, einer Burgengründung während der Fehde des Trierer Erzbischofs Balduin mit der Hunsrücker und naheländischen Ritterschaft im 14. Jahrhundert, durchbricht die Nahe in ungeheurer Kraftanstrengung ein Felsmassiv und windet sich nun gemächlich dem Weinort Monzingen zu. Sobernheim liegt am Wege, einst Sitz des Johanniter- oder Malteserordens. Der in der Zeit um 1000 entstandene Turm der spätgotischen evangelischen Pfarrkirche St. Matthias überragt die Dächer und das zum Teil aus dem 16. Jahrhundert stammende Rathaus. Wiederum verengt sich das Tal zwischen dem beherrschenden Lemberg und den rotleuchtenden Porphyrfelsen, auf dem Schloß Böckelheim stand. Steil abfallend bleibt der Hang linksseitig, läßt in der heißen Sonne edle Trauben reifen, und bald türmt sich die lange steile Wand des Rotenfelsens auf, Kletter- und Übungsgebiet für Alpinisten und solche, die es werden wollen. Über der Mündung der von Süden kommenden Alsenz die Ebernburg, Feste der Sickinger, Eckpfeiler der reformatorischen Lehre im Nahetal, »Herberge der Gerechtigkeit« eines Ulrich von Hutten. Ein letzter Anlauf, und die Nahe durchbricht von Bad Münster am Stein bis zur Talweitung von Bad Kreuznach den Felsenriegel am Rheingrafenstein. Solequellen und Gradierwerke begleiten sie. Von Norden ergießen sich Gräfen- und Ellerbach in den Fluß. Unter den Brückenhäusern der Kreisstadt hindurch, am historischen Fausthaus vorbei, eilt die Nahe weiter, im Süden begleitet vom Rheinhessischen Hügelland, im Norden von Rebhängen des auslaufenden Mittelgebirges. Vorbei an der ehemaligen Herrschaft Bretzenheim und der dort aus der frühen Christenzeit stammenden Eremitage, nimmt sie den Guldenbach auf, bis sie die südliche Soonwaldkette durchbricht und zwischen Bingerwald und Rochusberg ihren 116 Kilometer langen Lauf mit der Mündung in den großen Rheinstrom endet.

Die Naheweinstraße

Wie macht man Touristen, Fremde und Urlauber am besten mit dem Nahewein bekannt, mit den Geschmacksrichtungen fruchtig, vollmundig, feinherb und neuerdings mit den Zauberwörtern trocken und halbtrocken. Sehr einfach: Man markiert eine durch 33 weinbautreibende Gemeinden führende Straße mit Schildchen, die das Symbol des Weins, eine Rebe, tragen, und tauft diese 130 Kilometer lange Strecke »Naheweinstraße«. Das geschah 1971. Man konnte es guten Gewissens tun, denn schon im 2. Jahrhundert, vielleicht früher, bauten die Römer die köstlichen Trauben im klimatisch begünstigten Nahetal an. Viele Orte können den Weinbau bei sich seit 1000 Jahren urkundlich belegen. Die Hälfte der Weinstraßenorte mit der Endsilbe *-heim* weist auf eine frühe fränkische Siedlungsperiode hin. Einige Lagen an dieser weinseligen Straße mögen stellvertretend für viele stehen. Es handelt sich um uralte Flurnamen, die an Tiere, ehemalige Handwerke, Industrien, Besitzverhältnisse und Bodenqualität erinnern: Krötenpfuhl, Hermannshöhle, Kupfergrube, Frühlingsplätzchen, Backöfchen, Pastorenberg, Paradiesgarten, Schloßkapelle und Honigberg. Dieser Nahewein, von dem der aus Monzingen schon Goethe empfohlen wurde, enthält eine beachtliche Variationsbreite, zum einen von der Rebsorte her: Sylvaner-, Müller-Thurgau- und Rieslingtraube als Hauptvertreter, zum anderen vom Boden her, auf dem sie wachsen. Auf den dunklen Schieferböden der Soonwaldvorstufe gedeihen kräftige Weine, auf den tertiären Sanden schmecken sie wuchtig und erdig, und auf den sonnendurchglühten Porphyrfelsen der Mittelnahe sind die Gewächse feurig und rassig, darum hieß es schon im 18. Jahrhundert: »Die Naheweine seyndt sehr starke und feurige Weine, eines angenehmen geschmacks... sie gehen aber sehr in das geblüte.« In vielen Orten erwarten die Besucher nicht nur Gaststätten und »Straußwirtschaften« mit edlen Tropfen; Weinlehrpfade, Weinwanderwege, Wanderparkplätze, Schwimmbäder, aber auch historische Stätten und kunstgeschichtlich bedeutsame Bauten sollen ihn beschäftigen, belehren, anregen und zerstreuen.

Die Straße führt von Bad Kreuznach über Bad Münster am Stein und Norheim zur großen Staatlichen Weinbaudomäne Niederhausen-Waldböckelheim. Nun macht sie einen Bogen auf das rechte Naheufer, berührt die Orte Duchroth, Odernheim, Staudernheim, Sobernheim, Meddersheim und Merxheim. Bei Martinstein wendet sie sich nach Monzingen und von dort zu den Weinorten Auen, Bockenau, Burgsponheim, dem Klosterort Sponheim und nach Mandel mit dem Koppensteiner Schlößchen. Weiter im Norden erreicht sie Sommerloch und Wallhausen, läuft durch das Gräfenbachtal, kommt nach Roxheim, Guldental, Windesheim und Schweppenhausen. Über Waldlaubersheim den Burgort Layen, an Dorsheim vorbei kehrt sie ins Nahetal zurück. Laubenheim, Langenlonsheim und Bretzenheim sind die letzten Stationen, bis die Straße wiederum Bad Kreuznach, den Hauptort der Weinverarbeitung und des Weinhandels, erreicht. Eine Reihe von Weinköniginnen, unter ihnen auch »Deutsche Weinköniginnen«, stammen aus diesen Orten und waren mit ihren Fachkenntnissen als Winzertöchter, aber auch mit holdem Lächeln in das harte Geschäft der Weinwerbung eingespannt.

Faszination der Steine – die Deutsche Edelsteinstraße

Auch die Obere Nahe hat eine Touristenattraktion. Wiederum ist es eine Straße, die durch eine zauberhafte Mittelgebirgslandschaft führt, genannt die »Deutsche

Edelsteinstraße«. 65 Edelstein- und Schmuckbetriebe an dieser Route lassen Besucher bei der Arbeit zuschauen, vermitteln ihnen Einblick in ein Gewerbe, das hier seit Jahrhunderten betrieben wird. Ein gelbes Hinweisschild mit einem stilisierten Edelstein weist den Besuchern den Verlauf der Strecke, die 1974 mit einem Autokorso von Oldtimern eröffnet wurde und vom Fischbachtal aus am Idarwald entlang durch das Idarbachtal zur Edelsteinmetropole Idar-Oberstein führt. 17 »Schleiferdörfer« liegen am Wege, in denen sich heute die Schleifräder mit elektrischer Kraft drehen. Hier werden Hobby-Möglichkeiten geboten: Mineraliensammeln, Edelsteinschleifen und Schmucksteinschmieden. Daneben können Feriengäste wandern, reiten, angeln, kegeln und im Winter am nahen Erbeskopfgebiet Ski laufen. Die Gastronomie bietet kräftige Kost. Wie zu München das Bier, so gehören zu Idar-Oberstein und seiner Umgebung der Spieß- und Schwenkbraten, über dem offenen Feuer gedreht, ein Mitbringsel der Edelsteinsucher, die nach Brasilien ausgewandert waren.

Den Besuch des Steinkaulenberges mit der einzigen Edelsteinmine Europas sollte man nicht versäumen. Im Licht der Scheinwerfer präsentieren sich in diesem Bergwerk einmalig schöne Achate, leuchten und funkeln Bergkristalle, Amethyste und Rauchquarze wie in einer Märchenhöhle. Eine andere Schatzkammer ist das »Deutsche Edelsteinmuseum« im Haus der Diamanten- und Edelsteinbörse. In Vitrinen glitzern und glänzen Diamanten, Rubine, Saphire und Smaragde, da locken kostbare Schmuckkästchen und Schalen, Türkise, Nephriden, Jade, Amethyste und Aquamarine. Eine gleiche Auswahl von geschliffenen Edelsteinen aus aller Welt und ihre Verarbeitung mit edlen Metallen zeigt das Museum des »Vereins der Heimatfreunde Oberstein« unterhalb der Felsenkirche; dort dreht sich auch das Wasserrad einer Schleife und vermittelt einen Eindruck von der früher so mühseligen Arbeit der Edelsteinschleifer. Es versteht sich von selbst, daß die Pracht dieser Edelsteine, verarbeitet mit Platin, Gold und Silber, gebührend repräsentiert werden muß, und wer könnte das besser, als eine charmante junge Dame, die alljährlich zur »Edelsteinkönigin« gekürt wird?

museum und zahlreichen Industrien kultureller und wirtschaftlicher Mittelpunkt des westlichen Hunsrücks. Die Kirchengeschichte der Stadt reicht bis ins 8. Jahrhundert. Zwei spitze Türme der 1751 neuerbauten evangelischen und der 1890 errichteten katholischen Jakobuskirche überragen die blauen Schiefer- und roten Ziegeldächer der Stadt.

80 Die Felsenkirche in Idar-Oberstein. In der Höhle einer steilen Felsenwand steht das Wahrzeichen des Stadtteiles Oberstein, die Felsenkirche. Sie soll als Sühne für einen Verwandtenmord in der darüberliegenden Burg entstanden sein, und eine Quelle sprudelte mitten in der Kirche aus dem Felsgestein, als der Bau vollendet war. Vielleicht hat diese Quelle dazu geführt, daß man die in der Grotte errichtete Kapelle der hl. Walburga weihte, denn das Wasser (Walburgisöl) galt als heilkräftig. Die heutige Kirche feiert 1984 ihr 500jähriges Bestehen. Sie mußte immer wieder erneuert werden, denn Feuchtigkeit im Innern und von den Felsen herabfallendes Gestein verursachten laufend Schäden. Darum verlegte man die Gottesdienste in eine neuerbaute Kirche in der Stadt. – Der wertvollste Schatz der Kirche ist ein um 1400 entstandenes Tafelbild, ein Altargemälde mit der Passionsgeschichte, in deren Mittelpunkt der gekreuzigte Christus steht. Im Vorraum befinden sich kostbare Glasgemälde des 15. Jahrhunderts. Weiter bergauf gelangt man zur »Alten Burg«, Sitz der Herren von Stein. Um 1200 erbaute eine Zweiglinie weiter oberhalb das »neue Schloß« und nannte sich Herren von Oberstein. Das neue Schloß ist von einem rührigen Burgenverein restauriert und für die Öffentlichkeit zugänglich gemacht worden. Ein prächtiger Blick auf die Stadt und das Nahetal entschädigt für den mühsamen Aufstieg.

81 Achatschleifer in Idar-Oberstein bei der Arbeit. Auf dem Bauche liegend drücken die Schleifer in den Schleifmühlen mit der ganzen Kraft ihres Körpers die Edelsteine gegen den rötlichen Schleifstein, der vom

79 Blick auf Birkenfeld. Auf einer Anhöhe über der heutigen Stadt Birkenfeld hatten die Grafen von Sponheim im 13. Jahrhundert eine Burg. Das spätere Schloß ist so gründlich zerstört, daß nur noch geringe Reste von dem stolzen Bauwerk übriggeblieben sind, wie es von Daniel Meißner und auch von Merian in Kupferstichen des 17. Jahrhunderts überliefert ist. Hier wohnte die Sponheimer Gräfin Loretta, Gegenspielerin des mächtigen Erzbischofs Balduin von Trier. Hier begann 1584 die Linie Pfalz-Zweibrücken-Birkenfeld, aus der 1805 der bayerische König Maximilian Joseph hervorging. 1332 hatte Kaiser Ludwig dem Ort die Stadtrechte verliehen. 1776 wurde Birkenfeld badisch und kam 1798 in den französischen Staatsverband. Nicht genug des Besitzerwechsels. Der Wiener Kongreß ließ Birkenfeld zur Residenzstadt eines Fürstentums werden, denn man hatte bei dem Schachspiel um Land und Menschen dem Großherzog von Oldenburg mehrere hundert Kilometer von seinem Herzogtum entfernt ein Stück Land mit 20 000 Seelen zugeteilt. Dieses »Kuriosum deutscher Territorialgeschichte« existierte bis 1937, als es Preußen eingegliedert wurde. Mit einem neuen Schloß, der heutigen Kreisverwaltung, einer Kaserne mit Garnison und einem Gefängnis entstand ein ganzes oldenburgisches Regierungsviertel. Die 7000 Einwohner zählende Stadt ist mit Schulen, Krankenhaus, einem hervorragenden Altertums-

Wasser des Idarbaches oder einer seiner Nebenbäche betrieben wird. – Jahrhundertelang – denn seit dem 15. Jahrhundert ist das Vorkommen von Achaten im Idarbachgebiet nachgewiesen – und viele Stunden am Tag auf dem Holzbock liegend übten sie ihren Beruf auf diese mühselige und ungesunde Art und Weise aus. – Elektrisch betriebene Schleifen und Absaugvorrichtungen für den gefährlichen Staub, der sich bei der Bearbeitung der Steine entwickelt, sind nun an ihre Stelle getreten. Hier werden kostbare Edelsteine aus allen Teilen der Welt geschliffen und von Goldschmieden zu herrlichen Schmuckstücken verarbeitet. Die eine oder andere Wasserschleife dient nur noch als Demonstrationsobjekt.

Drastisch schildert Otto Conrad diese Arbeit in einigen Verszeilen:

>»Sie lagen vorm Schleifstein jahrein, jahraus.
>Dreimal am Tage kam die Klaus,
>Dreimal drückten und sprießten sie.
>Schliffen und murksten wie ein Stück Vieh.
>Naß und dreckig, krank und zerlumpt.
>Und war der Weiher leer gepumpt,
>Dann hatten sie Mund und Lunge voll Sand.
>Und fahl waren sie wie die Schleifenwand.
>Schnaps spülte alles die Kehle hinab –
>Waren sie vierzig, dann winkte das Grab.«

82 Mineralien, Edelsteine, Schmuck. In einem alten Bürgerhaus unterhalb der Felsenkirche von Idar-Oberstein liegt das Museum des Vereins »Die Heimatfreunde Oberstein e. V.«, eine Schatzgrube voller Mineralien, Edelsteine und Schmuckstücke. – Seit dem 15. Jahrhundert fand man hier in vulkanischem Melaphyrgestein um Idar-Oberstein buntbändrige Achate, Bergkristalle, Amethyste, Rauch- und Rosaquarze. In mehr als 100 Schleifen, die vom Idarbach und seinen Nebenbächen betrieben wurden, erhielten die Steine strahlenden Glanz und vielfältige Formen. Ihre Verarbeitung zusammen mit edlen Metallen ließ eine weitbekannte Schmucksteinindustrie entstehen, mit der die meisten Menschen dieser Stadt zu tun hatten. Echte Kunst- und Wunderwerke zauberten Schleifer, Steinschneider, Graveure und Goldschmiede aus den Edelsteinen, die nun auch aus der ganzen Welt angeliefert wurden. Als die »Schmucksteinstadt« ist Idar-Oberstein in vielen Ländern der Erde bekannt und daher auch zu einem Fremdenverkehrszentrum geworden.

83/84 Kirn. Das Rathaus, ein ehemaliges Piaristenkloster. Kaum jemand vermutet hinter der herrlichen Fassade des heutigen Kirner Rathauses ein ehemaliges Piaristenkloster. Fürst Johann XI. Dominik ließ an dieser Stelle 1753 ein Schulhaus errichten, und nachdem 1757 die ersten Piaristenpatres hierher berufen waren, begann der weitere Ausbau zu einem Kollegium für zwölf Geistliche unter der Leitung des fürstlichen Baumeisters Johann Thomas Petry von Schneppenbach. Umbau, Abriß und Neubau führten zu der dreiflügeligen Anlage, deren Hauptbau mit Pilastertür, Balkon und gegiebeltem Mittelrisalit zum Hahnenbach hin gerichtet ist. Die Fenster haben geschweifte Verdachung, die Geschosse sind durch Gesimse getrennt. – Als das Kloster 1798 säkularisiert und seine Einkünfte eingezogen wurden, verließen es die Patres. Zuerst kam es in Privatbesitz, dann erwarb es die Stadt als Schulgebäude.

Das Treppenhaus mit dem reichverzierten schmiedeeisernen Geländer erinnert fast an Balthasar Neumann, den großen Baumeister. Generationen von Schülern eilten hier hinauf und hinab, bis es von der Stadtverwaltung als Rathaus übernommen wurde. Die ehemalige Klosterkapelle ist heute der Sitzungssaal der Ratsherren. Bei allen ihren Beratungen aber ist der Erbauer des ehemaligen Piaristenklosters dabei, Fürst Johann XI. Dominik. Sein lebensgroßes Ölbild hängt an der Stirnseite des Sitzungssaales.

85 Blick auf Burg Steinkallenfels. Drei terrassenförmig übereinanderliegende Felsen im Hahnenbachtal bei dem Ort Kirn-Kallenfels tragen zum Teil noch die Reste einer beachtlich großen Befestigungsanlage: Oben die Burg Stein, in der Mitte Kallenfels und auf dem untersten Felsen Stock im Hane, wo man von einem Turm her die vorbeiführende Straße nach Kirn sperren konnte. Neben den Rittern von Stein und Kallenfels, die sich nach der Burg nannten und im grüngoldenen Wappen einen silbernen Leoparden führten, waren im Lauf der Jahrhunderte weitere Hunsrücker und naheländische Rittergeschlechter auf der Burg ansässig. Sie bildeten eine sog. Ganerbengemeinschaft, deren Zusammenleben durch Burgfriedensverträge geregelt war. – Die Burg dürfte Ende des 12. Jahrhunderts erbaut worden sein. Im 14. Jahrhundert bezwang sie Erzbischof Balduin von Trier. 1620 legte General Spinola eine Schutzwache auf das Schloß. 1688 wurde die Burg von den Franzosen zerstört.

86 Rathaus am Hahnenbach. Viele Bäche eilen von der Hunsrückhochfläche zu den Flüssen hinunter. Wegen ihres verhältnismäßig kurzen Laufs haben sie oft ein starkes Gefälle, so daß vor allem im Unterlauf tiefeingeschnittene Täler mit steilen Hängen und bizarren Felsgebilden entstanden sind. – Der Hahnenbach, an dessen Ufer das Rathaus steht, heißt vom Quellgebiet her eigentlich Kyrbach, darum trägt die Stadt an seiner Mündung auch den Namen Kirn, und die Burg darüber ist die Kyrburg. Das im Fachwerkstil erbaute Rathaus von Hahnenbach steht seit 1936 hier an einem Stauwehr des Baches. Es ist ein Mehrzweckbau mit Gemeindesaal, Backhaus und einem Raum für Feuerlöschgeräte. Eine Kapelle, die im vergangenen Jahrhundert in der Nähe stand, wurde im August 1875 bei einem gewaltigen, durch einen Wolkenbruch hervorgerufenen Hochwasser unterspült und weggerissen, wie viele Häuser und Brücken. In Hahnenbach ertranken fünf, in Kirn 26 Menschen.

87 Grabmal in der Kirche von St. Johannisberg. Hoch über dem Nahetal leuchtet weithin sichtbar das Kirchlein St. Johannisberg, im 13. Jahrhundert als Grablege

von den Wild- und Rheingrafen des nahegelegenen Schlosses Dhaun erbaut. An 22 Epitaphien, Grabplatten und Schrifttafeln aus Sandstein, Marmor und Holz läßt sich die Grabmalkunst von fast vier Jahrhunderten studieren. Vom Ende des 14. Jahrhunderts an sind Gotik, Übergang zur Renaissance, beginnender Manierismus, Barock und einsetzender Klassizismus vertreten. Namhafte Künstler aus den Bildhauerschulen eines Johann von Trarbach, Hans Ruprecht Hoffmann in Trier und Hans Backoffen aus Mainz haben daran gearbeitet. – Als Stiftskirche war sie seit 1317 geistlicher Mittelpunkt der Umgebung. Nach der Reformation residierte hier der lutherische Superintendent der Wild- und Rheingrafschaft, dessen Einflußbereich von Laufersweiler im Hunsrück über Grumbach bis weit in die Pfalz reichte. – Gerne schließen heute in diesem historisch interessanten und künstlerisch ausgestalteten Kirchlein Ehepaare den Bund fürs Leben. Die Orgelklänge liefert ein Werk der berühmten Orgelbauerfamilie Stumm aus Sulzbach bei Rhaunen.

88 Schloß Dhaun. Es war nicht leicht und bequem, in eine Burg zu gelangen: meist mußten mehrere Tore überwunden werden. Auch bei Schloß Dhaun, einer Burganlage aus dem 13. Jahrhundert, hoch über dem Zusammenfluß von Simmerbach und Nahe, waren drei Tordurchfahrten zu bewältigen, um in den Innenhof zu kommen. Das zweite Torgebäude aus dem 16. Jahrhundert, das gleichzeitig die Gerichtsstube, eine Schmiede und eine Wachstube beherbergte, trägt über der spitzbogigen Einfahrt eine Pechnase mit Wappenstein. Aus Pechnasen goß man auf Angreifer heißes Pech, Öl oder Wasser. Der Wappenstein zeigt das Ehewappen vom Wild- und Rheingrafen Philipp († 1521) und seiner Gemahlin Antonie, Gräfin von Neufchâtel. Von der linken Seite richten sich versteckt angelegte Schießscharten auf den Eingang, rechts strebt eine hohe Mauer empor, über die der Wehrgang läuft.

89 *Das Prometheusdenkmal auf Schloß Dhaun.* Auf einer mächtigen, aus der Ringmauer hervorspringenden Bastion von Schloß Dhaun hat ein aus weißem carrarischem Marmor gemeißeltes Denkmal Platz gefunden. Es stellt den sich aufbäumenden Prometheus, einen der Titanen aus der griechischen Mythologie, dar. Geschaffen hat ihn ein Mitglied aus der naheländischen Bildhauerfamilie Cauer in Bad Kreuznach. Für den Kopf des Prometheus soll der bekannte Hunsrücker Volksschriftsteller W. O. von Horn Modell gestanden haben. Von diesem Denkmal, um das sich jährlich Tausende von Besuchern des Schlosses scharen, genießt man einen der schönsten Blicke in die »lachenden Gefilde des Nahetales«, wie es einmal der Sänger Gustav Pfarrius ausgedrückt hat.

90 *Monzingen, Altsches Haus und gotische Kirche.* Umrahmt von Weinbergen liegt vor der Mündung des Hoxbaches in die Nahe das uralte Monzingen. Schon im 8. Jahrhundert hatten die Lorscher Mönche in der »Munzaher marca in pago Nachgowe« Besitzungen. Munzecha hieß der Ort im Mittelalter und deutet mit der Endsilbe auf die Lage am Wasser hin. Weinbau und Landwirtschaft bildeten die Haupterwerbsquellen. Die Güte des Monzinger Weines war beim Rochusfest in Bingen bereits Goethe zu Ohren gekommen. – Trotz Krieg und Zerstörungen blieben einige behäbige und recht alte Winzerhöfe mit prächtigem Fachwerk erhalten. Sie werden vor allem durch die mit Rundbogen versehenen Kellereingänge gekennzeichnet und sind Zeugen eines tausendjährigen Weinbaues. Ein Prachtstück unter diesen Bauten ist das aus dem Jahre 1589 stammende Altsche Haus. Berufssymbole über dem Türsturz weisen auf einen Metzger oder Steinmetz als Bauherrn hin. Die reich gegliederte Fachwerkfassade mit dem achteckigen Erker spiegelt ein musterhaftes handwerkliches Können. Neben weiteren Fachwerkhäusern aber gilt die aus dem 12. Jahrhundert stammende gotische Kirche als ein wichtiges und hervorragendes Baudenkmal im gesamten Nahegebiet.

91 *Der Marktplatz in Sobernheim.* Das Naturheilverfahren des »Lehmpastors« Felke (1856–1926) hat Sobernheim als Felke-Kurort einen Namen unter den deutschen Heilbädern verschafft. Ihm zu Ehren hat man auf dem Bahnhofsvorplatz ein Denkmal errichtet. – Bereits 1292 erhielt Sobernheim durch König Adolf seine Stadtrechte. Von der evangelischen Pfarrkirche, die unter Erzbischof Willigis von Mainz geweiht wurde, ist noch ein Turm erhalten, der Chor stammt aus dem 14., das Schiff aus dem 15. Jahrhundert. – Seit dem 14. Jahrhundert besitzt der Ort eine Johanniterkommende. Auf seinen Gütern hatte der Orden eine Kapelle erbaut, die 1664 an die Katholiken kam. An der Stelle der Kommende steht heute das Realgymnasium. Ein stattliches Rathaus ziert eine Seite des Marktplatzes, auch haben einige ehemalige Adelshöfe 1689 einen Brand überstanden. Geblieben ist auch die Synagoge. – Im Nachtigallental auf dem anderen Naheufer ist ein Freilichtmuseum im Entstehen. Es soll im Laufe der Jahre alle in Rheinland-Pfalz vorkommenden Haustypen aufweisen.

92 *Die »Gehinkirche« bei Auen.* Kurz vor dem Jahre 1000 kaufte der Mainzer Erzbischof Willigis mitten im Soonwald eine Hube Land, ließ darauf eine Kirche errichten und weihte sie dem hl. Servatius. Zusammen mit der Semendiskapelle, einer Tochterkirche bei Seesbach, gab er sie an das Kloster Disibodenberg an der Nahe. »Kirche an der Getzbach« oder »Gehinkirche« nannten die Bewohner die Stätte, wo sie auch ihre letzte Ruhestätte fanden. – Nach Einführung der Reformation (1560) wurden Altäre und Sakramentshäuschen entfernt. 1564 kaufte Niklas Schenk von Schmidtburg auf Schloß Gemünden den Pfarrsatz und wurde Patronatsherr über einen Pfarrbezirk, der über den Soonwald bis ins Kellenbachtal reichte. Im Laufe der Zeit zerfiel die Kirche, und lange Zeit lagen ihre Trümmer in der Waldeinsamkeit. 1912 ließ die katholische Gemeinde des benachbarten Dorfes Auen den Chor wieder herrichten und weihte die Kapelle dem hl.

Willigis. Bei Ausbau- und Renovierungsarbeiten stieß man auf zahlreiche römische Zeugnisse, die die Vermutung nahelegten, daß bereits bei der Erstgründung die Kapelle auf römischen Fundamenten gebaut wurde. – Der auf dem Friedhof beigesetzte Förster Utsch gilt als eines der möglichen Urbilder des »Jägers aus Kurpfalz«, ihm zu Ehren errichtete man 1913 am Forsthaus Entenpfuhl ein Denkmal.

93 Sponheim, katholische Pfarrkirche, ehem. Benediktinerklosterkirche. Die ehemalige Benediktinerklosterkirche Sponheim gehört kunstgeschichtlich neben dem Westwerk von Ravengiersburg zu den bedeutendsten romanischen Kirchen des Hunsrücks. Über dem Grundriß eines griechischen Kreuzes erhebt sich ein mächtiger achtseitiger Vierungsturm, bekrönt von einer welschen Haube. Die saubere Quadertechnik erinnert an elsässische Vorbilder. Das großartige achtteilige Kuppelgewölbe mit von Vierungskämpfern aufsteigenden Diensten, die die Trompen unterstützen, zeigen Verwandtschaft mit St. Georg in Limburg/Lahn, der Marienkirche in Gelnhausen und der Abteikirche in Offenbach am Glan. Kelchknospen, Palmettenranken, Adlerfiguren und Drachendarstellungen zieren die Kapitelle. Der Chorfußboden aus dem 13. Jahrhundert mit seinen ornamentierten und bunten Platten ist eine Kostbarkeit der Anlage. Graf Eberhard V. von Nellenburg dürfte um 1050 das Kloster gestiftet haben. Nach der Struktur des Mauerwerks lassen sich deutlich drei Bauperioden erkennen, die mit der Schlußweihe 1291 beendet waren.

94 Der mächtige Bergfried der Burg Sponheim. Dieser mächtige, aus herrlichen Buckelquadern aufgetürmte Bergfried bewacht schon seit über 900 Jahren das kleine Dorf Burgsponheim. Wuchtig wie das Mauerwerk staufischer Reichsburgen, dokumentiert der Turm Macht, Größe, Wehrhaftigkeit und Reichtum eines Geschlechtes, das während einiger hundert Jahre das politische Geschehen zwischen Nahe und Mosel

bestimmte und von dem ein früh von der Burg abgewanderter Zweig die Geschichte im fernen Kärnten schrieb. Sponheimer oder Spanheimer nannten sie sich, und wenn man der Sage glauben soll, war es ein Span vom Kreuze Christi, von einem Kreuzritter in die Heimat gebracht, der ihnen zum Namen verholfen hat. Bis auf den 22 Meter hohen Wohnbergfried, der als Aussichtsturm eine herrliche Fernsicht auf das Rebenland und die Klosterkirche Sponheim bietet, sind alle Teile der Burg vom spanischen Feldherrn Spinola gründlichst zerstört worden.

95 Rotenfels bei Bad Münster am Stein. Das Fleckchen Erde am Zusammenfluß von Alsenz und Nahe ist ein Knotenpunkt besonderen Ranges. Ein Blick von der Ebernburg über das als Thermal-, Sole- und Radonbad bekannte Bad Münster am Stein nach Nordosten zeigt den eindrucksvollen Nahedurchbruch mit den steilen Felsen des Rheingrafensteins und der Gans. Über 200 m ragt das vulkanische Porphyrgestein des Rotenfels als schroffe Wand aus dem Flußtal auf, verlockend für den alpinen Kletterer. Hier haben sich Relikte von Pflanzengesellschaften aus der warmen Steppenzeit erhalten. Die »Steppen- und Felsenheiden« gehören zu den botanischen Kostbarkeiten des Raumes. Besonders im Frühling lockt der hellgelb leuchtende Blütenschmuck des Bergsteinkrautes Naturfreunde und Fotografen an, das Blütenwunder zu erleben. Am Fuße des Berges gedeiht ein köstlicher Wein, dem die Südsonne und das wärmebringende Gestein das ganze Jahr über zugute kommen.

96 Bad Kreuznach, Brückenhäuser. Die Brückenhäuser über der Nahe sind das Wahrzeichen von Bad Kreuznach. Die alte Steinbrücke mit ihren acht Halbkreisbögen soll bereits unter Graf Simon II. von Sponheim um 1300 erbaut worden sein. Jahrhundertelang überstand sie Unwetter und Hochwasserfluten. Es war schon eine Sprengladung erforderlich, um am Ende des letzten Krieges drei Bögen in die Luft zu sprengen. Von

Fachleuten wird die Brücke als ein Musterbeispiel mittelalterlicher Ingenieurskunst gepriesen. Die malerischen Fachwerkbauten haben vorgekragte Obergeschosse und sind durch Balkenverstrebungen auf den Brückenpfeilern befestigt. Die Häuser sollen im 16./17. Jahrhundert an dieser Stelle – zwischen Altstadt und Neustadt – erbaut worden sein, weil innerhalb der Stadtmauern für Gewerbetreibende kein Platz war. Bedauerlicherweise wurde der zerstörte Teil nicht mehr im alten Baustil, sondern in moderner Bauweise aufgebaut.

97 Bad Kreuznach, römischer Mosaikboden. An der Hüffelsheimer Straße im Westen der Stadt lag ein römischer Gutshof aus der Mitte des 3. Jahrhunderts. Es handelte sich um einen Bau im üblichen Portikusschema, mit prunkvollen Innenräumen, mit Bädern, Bodenheizung, Kanalisation und Wasserleitung. Die Frontbreite betrug über 100 m. Die großzügige Ausstattung mit Marmor läßt auf einen wohlhabenden Besitzer schließen. Bei der Ausgrabung im Jahr 1893 entdeckte man einen Mosaikboden von 7,40 m Länge und 6,72 m Breite, aus etwa einer halben Million Mosaiksteinchen zusammengesetzt. Das Zirkus- oder Gladiatorenmosaik stellt in 13 Bildern den Verlauf eines Kampftages im Amphitheater dar. Umrahmt ist das Ganze von Blumenornamenten und Kreuzmustern. Das Mosaik, zunächst an der Fundstelle belassen, kam später in das städtische Karl-Geib-Museum und hat jetzt eine neue Bleibe in der Römerhalle in Bad Kreuznach gefunden.

98 Wallhausen, kath. Pfarrkirche St. Lorenz. Die erste Kirche in Wallhausen soll Stephan von Dalberg nach der Heimkehr aus sarazenischer Gefangenschaft zu Ehren des hl. Leonhard erbaut haben. Das jetzige Gotteshaus, von Peter Jung aus Mainz 1792 erbaut, ist wegen seines in Deutschland wenig verbreiteten klassizistischen Stils eine Besonderheit. Die Ritter von Dalberg und deren Nachfolger, die Kämmerer von Worms, gen. von Dalberg, waren die Kollatoren der Kirche. Sie hatten in der Mitte des Ortes ihr Talschloß, dessen Besitzer heute der Fürst von Salm-Salm ist. Wallhausen gehört zu den größten weinbautreibenden Gemeinden des ganzen Nahegebietes. Die Gewächse aus dem Johannesberg, Mühlenberg, Hasensprung, Laurentiusberg, Pastorenberg und Felseneck sind fein und vollmundig in ihrem Charakter.

99 Bretzenheim, die Eremitage, eine im Guldenbachtal liegende alte Felsenklause. 1567 wurde die Grottenkirche St. Antonius durch einen Wolkenbruch stark in Mitleidenschaft gezogen, durch einen Bergrutsch schließlich vollends zugeschüttet. Erst im 18. Jahrhundert wurde sie wiederentdeckt und eine neue Kapelle an der alten Stelle aufgebaut. In den Felsen gehauen findet sich ein Beichtstuhl, darüber an der glatten, weißgetünchten Felswand ein großes Kruzifix. Ein kleiner Platz am Felsen diente als Kanzel und bot die Möglichkeit auch einer größeren Schar von Wallfahrern das Evangelium zu predigen. Über eine nach oben führende Treppe erreichte man die Felsenwohnung der Eremiten. Sie bestand aus vier Räumen, einer Klause, einer Küche, einer Wohn- und Schlafkammer. Als 1827 der letzte Eremit starb, wurde der Klausnerbezirk versteigert.

100 Sonnenuntergang über dem Hunsrück. Niedrig steht die Sonne über der Riesweiler Höhe. Ein goldener Widerschein senkt sich über Hügel und Täler. Die Arbeit ruht. Man spürt etwas von der Weite und Unendlichkeit, von der Stille und Zeitlosigkeit dieser Landschaft.

79   Blick auf Birkenfeld mit den beiden spitzen Türmen der ev. (erbaut 1757) und der kath. Kirche (erbaut 1890)

80　Die Felsenkirche in Idar-
Oberstein, Wahrzeichen des Stadt-
teils Oberstein

81 *Achatschleifer in Idar-Oberstein bei der Arbeit*

156

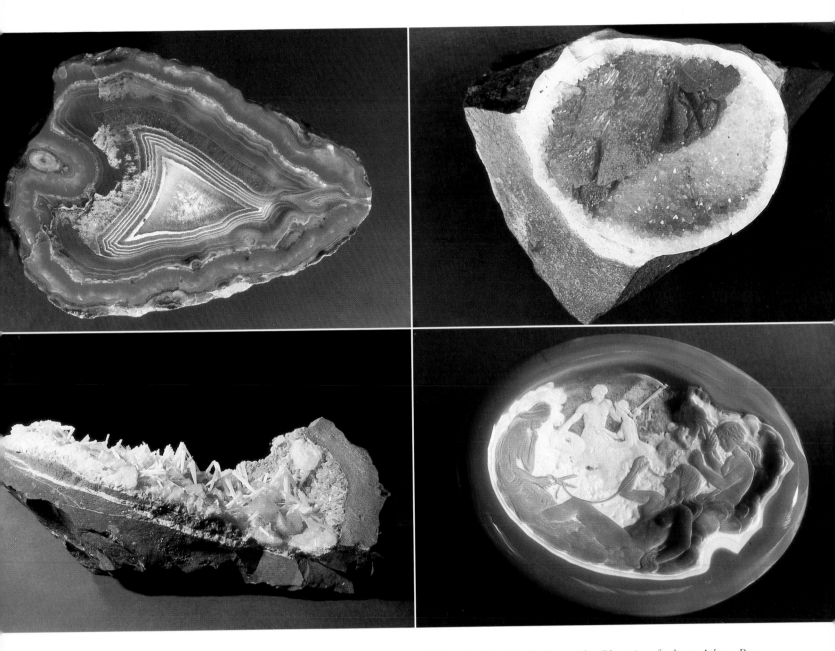

82 Minerale, Edelstein und Schmuck im Museum in Oberstein, Beispiele für die um Idar-Oberstein gefundenen Achate, Bergkristalle, Rauchquarze und Amethyste
Umseitig:
83/84 Kirn. Das Rathaus, ein ehemaliges Piaristenkloster. Daneben das Treppenhaus mit dem reichverzierten Geländer

85   Blick auf Burg Steinkallenfels im Hahnenbachtal bei Kirn-Kallenfels
86   Hahnenbach. Das Rathaus am Stauwehr des Hahnenbachs

160

87 Grabmal des Wild- und Rheingrafen
Johann Christoph († 1585) in der Kirche
von St. Johannisberg

88 *Schloß Dhaun, hoch über dem Zusammenfluß von Simmer und Nahe. Unser Bild zeigt ein Tor mit Pechnase und Wappenstein*

89 Das Prometheusdenkmal auf Schloß Dhaun

90 Monzingen. Im Hintergrund das Altsche Haus aus dem Jahre 1589 mit seiner reichgegliederten Fachwerkfassade. Daneben die gotische Kirche aus dem 12. Jh.

91 Winkel am Marktplatz in
Sobernheim

92 Die »Gehinkirche« bei
Auen, vermutlich auf römischen
Fundamenten erbaut

93 Sponheim. Die ehemalige Benediktiner-Klosterkirche, eine der bedeutendsten romanischen Kirchen des Hunsrück

94   Der mächtige Berg-
fried der Burg Spon-
heim, erbaut aus herr-
lichen Buckelquadern

Umseitig:
95   Rotenfels bei Bad
Münster am Stein
96   Bad Kreuznach.
Die Brückenhäuser über
der Nahe, Wahrzeichen
der Stadt

97 Bad Kreuznach. Das
sog. Zirkus- oder Gladiatorenmosaik aus einer römi-
schen Villa befindet sich
jetzt in der Römerhalle
98 Wallhausen. Die kath.
Pfarrkirche St. Lorenz,
erbaut 1792 von Peter Jung
aus Mainz

Umseitig:
 99 Die Eremitage, eine
im Guldenbachtal liegende
alte Felsenklause
100 Sonnenuntergang über
dem Hunsrück

Ortsregister

Gustav Schellack, Willi Wagner

Der Hunsrück
zwischen Rhein, Mosel und Nahe

Konrad Theiss Verlag

1 Kastellaun, une localité centrale dans le nord du Hunsrück. Au premier plan, la ruine de l'ancien château-fort (construit au 14e siècle)

2 Mörz. Maître-autel de l'église de pèlerinage Mariä Himmelfahrt

3 Près de Mörsdorf, un calvaire comme on en voit fréquemment dans le nord du Hunsrück

4 Près d'Eveshausen, le Hunsrück mosellan en automne

5 Château de Balduinseck sur un rocher dominant la vallée romantique de Mörsdorf

6 Loin de toute circulation, sur la pente de la vallée du Baybach presque inaccessible se dresse le château de Waldeck, rendez-vous apprécié des groupes de jeunes, des groupes folkloriques et autres

7 Vue sur Emmelshausen

8 Emmelshausen, station climatique reconnue, a un magnifique parc

9 Womrath. Dans le Hunsrück, les maisons sont depuis longtemps déjà couvertes d'ardoises. La couverture de cette maison réalisée en ardoises de différentes couleurs est particulièrement belle

10 L'une des nombreuses jolies maisons à colombages que l'on trouve dans les villages de la région

11 Simmern avec ses tours baroques et le »nouveau château« de style néo-classique

12 Tour dans laquelle »Schinderhannes«, chef de brigands, a été incarcéré pendant six mois

13 Simmern. Le »nouveau château« construit entre 1708 et 1712

14 Simmern. Salle paysanne dans la section folklorique du musée du Hunsrück

15 Simmern. Tombeau du Duc Johann Ier. dans l'église Saint-Etienne

16 Simmern. L'église catholique Saint-Joseph construite entre 1749 et 1752 dans le style baroque

17 Horn, village sur les monts du Hunsrück

18 Ravengiersburg dans la vallée du Simmerbach. La façade de l'église du monastère domine la ville

19 Ravengiersburg. La façade ouest de l'église du monastère est le seul élément de l'édifice qui n'ait pas été détruit par les guerres et les incendies

20 De très vieux tilleuls près de l'église de Nun (construite vers 1000), près de Sargenroth

21 Eglise de Nun. Les fresques murales découvertes en 1896 datent du 13e/14e siècle

22 Mengerschied. A l'arrière-plan, la forêt de Soon

23 Gemünden. Partie romantique près du barrage du Simmerbach. A l'arrière-plan le château construit entre 1718 et 1721

24 a + b Fossiles provenant des ardoisières de Gemünden et de Bundenbach: placoderme et astérie